DEUX FONT UN

par Gaston April

Le Kriya Yoga et les Éditions de Babaji, Inc.

St. Etienne de Bolton, Quebec, Canada

Deux font Un
par Gaston April

Publiée par
Le Kriya Yoga et les Editions de Babaji, Inc.
196 rang de la Montagne,
Eastman, Québec, Canada J0E 1P0
Téléphone: 450-297-0258; 1-888-252-9642; télécopieur: 450-297-3957
· www.babajiskriyayoga.net · email: info@babajiskriyayoga.net

ISBN 978-1-895383-81-2

Conception graphique et mise en page: David Lavoie
Imprimé et relié au Canada sur papier recyclé à 100 %

Du même auteur

Le choc des croyances pour un management du XXIIe siècle, Trois-Pistoles, Les Éditions Trois-Pistoles, 2003.

Six savoirs importants pour de meilleures entreprises, Québec, Presses Inter Universitaires, 2009.

Remerciements

À ma conjointe, Martine, qui comme la grand-mère l'a fait pour le grand-père, m'a laissé vivre toutes mes histoires, même les plus farfelues. Comme la grand-mère, elle sait l'importance de vivre ses histoires.

À Éric Dubé pour ses précieuses observations.

À Marshall Govindan pour sa magnanimité.

Et à Babaji pour sa grande bienveillance et sa présence discrète.

À tous mes amis qui par leur généreuse contribution ont permis la publication de ce livre :

Stéphane April,

Brigitte Boily,

Jean Dostie,

Benoît Dupont,

Félix Jean,

Réal McNicoll,

Gilbert Pelletier,

Bertin Rioux,

Gaston Rioux,

André Roy,

Gratien Thériault.

Table des matières

Avant-propos

Il est de ces histoires qui nous apparaissent invraisemblables même si elles tirent leur source d'une quelconque intuition. L'une d'elles, ayant parcouru des chemins aléatoires, se présente à nous naïvement et sans prétention.

L'histoire que vous allez lire pourrait appartenir à toutes les époques. Si vous étiez présent à l'une d'elles, vous pourriez être ici aujourd'hui, mais si vous êtes ici aujourd'hui, vous n'y étiez peut-être pas alors. En fait, ainsi en est-il de toutes les histoires.

Étant jeune, il m'arrivait souvent d'accompagner mon grand-père. Un homme de grandeur moyenne, les cheveux bruns et les yeux d'une intensité rare. Il n'était pas possible de distinguer la couleur de ses yeux tellement ils étaient petits et bien protégés par des sourcils fournis, si fournis que tous se demandaient comment mon grand-père s'y prenait pour ne pas se frapper la tête un peu partout.

Il était arrivé au village en 1926, on ne sait d'où. Jusqu'à aujourd'hui, il a gardé le secret sur ses origines. Longtemps, j'ai pensé que grand-mère était elle aussi ignorante du lieu de naissance de son mari. Par contre, tous au village étaient convaincus de ses origines nobles. Malgré ses efforts pour dissimuler tout ce qui pouvait le distinguer des habitants du village, il lui arrivait d'utiliser des mots qualifiés de savants qui ne pouvaient tromper sur son origine.

Dès son arrivée au village, il s'empressa de trouver un lieu pour habiter et vivre. La surprise fut à son comble lorsqu'il fit l'acquisition d'une ferme forestière. Que pouvait-il bien connaître du bois, se demandèrent les habitants, lui qui parle sur le bout de la langue et qui porte des vêtements légers ? Quelques mois plus tard, à la grande surprise de tous, grand-père avait terminé la construction de sa maison. Bien sûr, quelques travaux étaient encore à faire mais cela suffisait pour passer le premier hiver.

Alors qu'il s'était absenté quelques jours pour aller on ne sait où, les habitants se rendirent à sa ferme afin d'y examiner cette construction. Tous voulaient voir les défauts. On ne pouvait croire qu'il ait pu si bien réussir sans avoir utilisé quelques stratagèmes. On sait que les étrangers sont capables de tout quand ils veulent abuser des bonnes gens.

La maison étant aussi belle de près que de loin, les habitants du village jusqu'alors discrets décidèrent de former une délégation et d'aller interroger le curé du village. Il faut savoir que le curé n'était pas un enfant du village et malgré ses dix années de loyaux services, il était encore considéré un peu comme étranger. Il ne fut donc pas surpris par leurs questions. À leur grand désespoir, il leur avoua qu'il n'avait pas rencontré le nouvel arrivant. Il ne savait donc rien de lui. Mais quelques membres s'en retournèrent convaincus que le curé en savait plus qu'il ne disait.

Dès son retour, mon grand-père annonça son mariage avec la plus belle fille du village encore libre. Ce ne sont pas les prétendants talentueux qui manquèrent, mais à chacun elle répétait qu'elle attendait son prince charmant. On la croyait un peu dérangée et tous pensaient qu'elle finirait vieille fille.

Ils se marièrent et s'installèrent dans leur maison. Peu de temps après naquit mon père.

Tous étaient surpris de la grande connaissance du monde de la forêt et de ses habitants que pouvait avoir mon grand-père. Il était intarissable sur ce sujet et n'appréciait guère qu'un importun l'interrompe sauf en certaines circonstances : des réunions familiales pendant lesquelles, un petit verre dans le nez, mon grand-père acceptait d'être dérangé. Il avait pour son dire que toute question mérite une réponse et que la personne qui pose une question le fait en connaissance de cause et se doit, par respect, en écouter toute sa longueur. En d'autres temps, impossible de l'arrêter.

Nous sommes au milieu du XXe siècle, la télévision vient d'apparaître dans quelques maisons du village. Mon grand-père est impressionné par tout ce qu'il y voit et y entend. Lui, habitué des bois, comprend la nécessité de cette invention et comprend encore mieux son utilité. Mais prudent comme il se doit pour celui qui est habitué de fréquenter des lieux méconnus des hommes, il se garde bien de vanter tous les mérites de ce mirifique appareil.

Par contre, un doute traverse son esprit. Qu'adviendra-t-il de tous les raconteurs d'histoire qui font vibrer les villageois et qui les font rêver des plus folles aventures ? Seront-ils à la hauteur, seront-ils capables de rivaliser avec cet appareil sophistiqué? Il songeait également à ces raconteurs d'histoire qui ne sont pas de vrais raconteurs mais qui nous instruisent par les quelques paroles qu'ils prononcent de temps à autre.

Il ne savait qu'en penser mais il s'était dit qu'il était grand temps qu'il m'imprègne de la plus folle de ses histoires, une histoire qu'il m'a fait promettre de ne pas répéter avant que le XXIe siècle ne soit bien débuté. Qu'il soit suffisamment avancé pour que les doutes de certains sur une éventuelle catastrophe mondiale capable de détruire la planète se soient estompés.

Nous venions de traverser deux guerres mondiales, la dernière s'étant terminée avec l'invention d'une arme capable de tout détruire sur son passage. Plusieurs anticipaient le retour d'un Hitler qui utiliserait cette arme pour arriver à ses fins de domination du monde. Il s'en est fallu de peu à certains moments.

L'histoire qu'il s'apprêtait à raconter pouvait s'apparenter à une arme, non pas de destruction massive, mais d'édification d'une société nouvelle. Elle devait être diffusée à une époque capable de la recevoir et d'en saisir toute la puissance.

Mon grand-père était de la race de ceux qui n'aiment pas répéter deux fois la même histoire, il avait l'impression de perdre son temps. Que ceux qui entendent répètent au moins une fois pour en assurer la pérennité, telle était sa maxime. Fort heureusement, les gens de cette race sont rares car si tel n'était pas le cas, qui nous aurait transmis tout le savoir de nos anciens, qui enseignerait dans nos écoles ?

Un jour que nous marchions à l'orée d'un grand bois, mon grand-père, habituellement très silencieux, risqua quelques paroles. Je crus alors qu'il amorçait le début de son histoire mais tel ne fut pas le cas. Il voulait me rassurer, me confiant que toutes les forêts sont semblables malgré les différences apparentes aux yeux des néophytes. Il disait que celui qui, un jour, a traversé une forêt inconnue, est habilité à conseiller sur les précautions à prendre pour éviter les pièges qui nous attendent à chaque détour. Il me prévint que les précautions doivent être données par ceux qui ont l'expérience d'un tel prériple et qu'il fallait se méfier de ceux qui prétendent l'avoir réussi. Il m'expliqua donc les précautions d'usage avant d'entreprendre la traversée d'une forêt inconnue ; il était convaincu que je deviendrais comme lui un coureur des bois. Il ne pouvait passer outre à cette obligation.

Je dis obligation car dans notre famille, la connaissance ne se transmet pas de père en fils mais bien de grand-père en petit-fils. Ainsi, mon père apprit ce qu'il sait de son grand-père et c'est mon père qui fera le nécessaire pour mes fils. Il en est également de même des grands-mères, des mères et des filles.

Cela explique pourquoi dans notre famille nous avons quelque fois l'impression que certains parmi nous ne vivent pas à la bonne époque. Mais nous sommes habitués.

De toute façon, mon grand-père est d'avis que nous sommes tous des coureurs des bois et que malgré la réduction du nombre de forêts vierges, il s'en trouvera toujours une à l'orée de laquelle chacun se retrouvera un jour. D'ailleurs, l'histoire qu'il va nous raconter est celle d'un homme et d'une femme marchant à l'orée d'une forêt inconnue se demandant s'ils allaient en entreprendre la traversée.

Je me suis longtemps interrogé sur les circonstances qui ont permis à mon grand-père de connaître ces deux personnes. Il a passé toute sa vie à voyager dans un rayon de quelques kilomètres de sa grande forêt. Vous allez constater à la lecture de cette histoire que ma question et sa réponse sont bien anodines comparées à toutes celles qui vont surgir dans votre esprit.

Ainsi, plusieurs mois après m'avoir annoncé sa fameuse histoire, mon grand-père en débuta lentement le fil, et chose rarissime, il dérogea de son code personnel pour me la raconter en plusieurs étapes. Pendant les quelques mois qui suivirent, nous nous rendîmes à l'orée de son grand bois et assis sur une souche, il racontait.

Il ne supportait pas de répéter et n'acceptait pas non plus d'être interrompu. Et pas question de prendre des notes pendant qu'il parlait. Mon grand-père ne l'aurait pas accepté car pour lui, une histoire est faite pour être écoutée, pas pour être écrite. Mais il ignorait que de retour à la maison, je m'empressais de mettre sur papier les mots entendus. Autrement, je n'aurais jamais été capable de la raconter au début du XXIe siècle tel qu'il me le demandait.

Elle se déroulait sur d'autres continents et il en parlait comme celui qui a vu de ses yeux tous les événements et de ses oreilles entendus tous les mots, même les plus silencieux. Il se pourrait bien qu'il ait entendu une histoire semblable de son grand-père et qu'il l'ait adaptée au temps présent.

Chapitre Un : L'étranger

En notre petit village, il n'est pas coutume de parler à des étrangers d'un autre continent. Nous les craignons beaucoup car ils sont étranges. Il s'en faut de peu que les habitants du village voisin soient considérés quelquefois comme tels, alors imaginez ceux d'un autre continent. Souvent, ces gens se présentent chez-vous affublés de vêtements bizarres, que l'excentrique du village aurait été incapable de porter. Et que dire des mots tout aussi curieux qu'ils utilisent pour s'exprimer et ce avec un accent épouvantable qui rendent ces mots incompréhensibles pour toute personne normalement constituée.

Il y a de cela quelques années, nous reçûmes la visite d'un tel étranger. Il s'était arrêté à la première maison du village pour s'enquérir du lieu de la résidence du curé. Mal lui en pris, les habitants de la maisonnée prirent peur, s'enfuirent par l'arrière et surveillèrent du fond de la cour son départ de leur maison. Notre étranger, loin de se laisser décourager par cette réception se rendit chez le second voisin.

Il faut savoir que notre village ne comporte qu'une seule rue et malgré l'absence de moyens de communication rapides, tout le village connaissait déjà la présence de l'étranger. Tous étaient curieux de connaître les raisons de sa présence.

Les résidents de la deuxième maisonnée étant un peu plus courageux, le voyant arrivé, décidèrent de l'attendre tout en prenant quelques précautions. C'est ainsi que la maîtresse de maison, bien campée sur ses talons, se présenta à lui du haut de l'escalier extérieur, celui qui mène à la porte d'entrée avant. Pendant ce temps, son mari s'installa à l'abri, derrière la porte, tenant dans ses mains tremblantes le fusil qui lui avait servi à tuer un ours énorme il y a de cela quelques mois.

La pauvre femme ne comprenait pas un mot de ce que disait l'étranger. Elle lui demanda de répéter trois ou quatre fois sans résultat. L'étranger constatant lui aussi la difficulté de la situation, ajouta quelques signes à ses mots. C'est de même qu'elle pu lui expliquer l'endroit qu'il recherchait. Le mari n'eut pas besoin de son fusil et en fut fort heureux.

L'étranger se remit en route et longeant toutes les maisons, il put y apercevoir un visage à chaque fenêtre. Il n'était pas impressionné par cette curiosité. Il avait l'habitude. Il n'en était pas à son premier voyage en un pays lointain. Et à chaque fois, il en était ainsi lorsqu'il devait se rendre dans de petits villages.

Il s'arrêta devant la plus grande maison du village. On aurait pu penser qu'il s'agissait de l'hôtel. Mais c'est à la maison du curé qu'il était et c'est madame curé qui le reçut sur le perron. Elle tenait dans ses mains le balai qui lui servait à nettoyer les marches de l'escalier. Elle l'attendait de pied ferme.

Madame curé avait la réputation d'être une femme robuste que même l'homme fort du village n'osait provoquer. Elle avait hérité de la force et de la taille de sa mère et soyez assuré que l'une et l'autre ne lui faisaient pas défaut.

Du pied de l'escalier, l'étranger demanda à voir monsieur le curé. Madame curé, étant plus éduquée que le villageois moyen, éprouva moins de difficultés à comprendre les propos de l'étranger.

— Et pour quel motif, lui demanda-t-elle ?

L'homme un peu hésitant, lui répondit que c'était pour une affaire personnelle et qu'il avait une enveloppe à remettre au curé du village.

— D'où venez-vous, lui demanda-t-elle sans gêne ?

Bien qu'il considérait la question impertinente, il y répondit de bon cœur.

— J'arrive d'un pays étranger...

Sans lui laissez le temps de terminer sa phrase, elle ajouta :

— Vous ne m'apprenez rien, c'est bien évident. Les vêtements que vous portez et les mots qui sortent de votre bouche ne sont pas d'ici. De quel pays, ajouta-t-elle ?

Elle avait besoin de plus de précisions. Elle tenait à s'assurer que monsieur le curé ne courait aucun danger à le recevoir.

— De la Belgique.

— Et c'est où ça, la Belgique ?

Constatant par cette dernière question que madame curé n'était pas très instruite en géographie et lui connaissant bien celle du Québec, il lui répondit que la Belgique est un petit pays voisin de la France.

— Ah la France, bien sûr que je connais la France. C'est un vieux pays. Êtes-vous aussi un vieux pays ?

— Oui, madame.

Elle avait examiné les mains de l'étranger et de toute évidence, ses mains n'avaient pas la pratique du travail manuel. Elles étaient tellement belles et soyeuses que madame curé se demanda si elles avaient déjà travaillé.

— Et que faites-vous comme travail ?

Notre visiteur commençait à perdre patience. Il trouvait la dame bien impertinente, mais il ignorait toutes les responsabilités dévolues à un tel personnage. Il ne savait pas qu'en notre village, madame curé s'était sacrée grande protectrice du curé. C'est pourquoi, tous les visiteurs devaient d'abord franchir le barrage de son interrogatoire pour se rendre jusqu'au curé. Il est bien certain que les habitants du village bénéficiaient d'un questionnaire allégé. Elle les connaissait tous. Elle leur posait quelques questions uniquement pour la forme et surtout pour bien affirmer sa réputation de gardienne.

— Je suis huissier, madame.

— Je n'ai jamais entendu un mot pareil.

Il n'en fallait pas plus pour augmenter la cote de sécurité à imposer à notre visiteur.

— Et qu'est-ce que ça fait un huissier ?

À bout de patience, il répondit que le huissier est semblable au postier. Il apporte des nouvelles, quelquefois bonnes mais plus souvent mauvaises.

— Et pourquoi alors le postier n'est pas venu lui-même ?

— Parce que la nouvelle que j'apporte vient de loin et qu'elle est en partie contenue dans cette enveloppe que voici.

— Et l'autre partie ?

— Je dois la transmettre verbalement à qui de droit. Dans les circonstances, c'est votre curé qui doit entendre ce qui n'a pas été écrit.

Madame curé avait posé toutes les questions possibles de son répertoire. Elle ne savait plus que dire. Elle ne pouvait le laisser entrer sans avoir un aperçu de la nouvelle que recevrait son curé.

Il est bien certain qu'elle avait maintenant la certitude de la qualité du visiteur. Mais son intérêt n'était plus la sécurité, la curiosité avait pris le dessus. Elle voulait absolument connaître les motifs de cette visite.

C'est alors que lui passa par la tête une idée que normalement une servante de curé ne devrait jamais avoir. Elle hésita un peu mais pas assez longtemps pour bien peser toute la gravité du geste.

— Monsieur le curé s'est absenté. Vous pourriez me confier votre message et votre enveloppe, je les lui transmettrai avec plaisir.

Notre huissier en a vu d'autres. Il a bien deviné le stratagème et loin de se laisser prendre, il décide de jouer le jeu.

— Rassurez-vous madame, je viens de l'apercevoir à l'arrière de la maison. Il a sûrement oublié de vous informer de son retour.

La pauvre femme était désemparée. Elle ne savait que faire. Il n'était pas question pour elle d'utiliser son autorité proverbiale ou d'exiger comme elle l'avait en quelques circonstances extraordinaires que le visiteur fasse connaître l'objet de sa visite sans quoi elle ne l'introduirait pas auprès de monsieur le curé. Elle commençait à se demander si les circonstances pouvaient être qualifiées d'extraordinaires. Plus elle y réfléchissait et plus elle trouvait que l'autorité serait de mise : un étranger, huissier de surcroît, d'un vieux pays et qui apporte une enveloppe contenant un message secret…

Elle n'en pouvait plus. Alors qu'elle allait ouvrir la bouche pour réclamer la vérité, elle se ravisa. Si son autorité est reconnue dans son village, il est peu probable qu'elle le soit au-delà des frontières de celui-ci et l'étranger ne s'en trouverait pas impressionné. Elle risquait de perdre la face. Il n'en était pas question. Elle décida de changer de tactique.

Empruntant un ton mielleux (*se disant qu'il en serait fait de sa réputation si un villageois l'entendait*) et voulant se montrer agréable, elle prétendit que si monsieur le curé était de retour sans l'avoir informée, c'est qu'il avait décidé de faire une petite sieste.

— Vous le savez peut-être : notre curé n'est plus très jeune et il lui arrive souvent de faire la sieste en milieu de journée. Il est sûrement allongé et il n'apprécierait pas se faire réveiller avant de l'avoir complétée, même par le plus important des étrangers ayant traversé ce village depuis les trente dernières années.

De toute évidence, cette femme ne lâcherait pas prise se dit le huissier (après tout, elle a peut-être la permission du curé pour connaître les motifs de tout visiteur de vouloir le rencontrer).

Comme il se préparait à divulguer les motifs de sa visite, le curé se présenta dans l'embrasure de la porte. À voir son air, il avait certainement entendu les derniers moments de leur conversation.

Mais madame curé, loin de se laisser décontenancer, encaissa le regard du curé et enchaîna.

— J'allais vous prévenir de la visite de cet étranger, monsieur le curé. Ce monsieur arrive de très loin et il est certainement très fatigué. Si vous êtes d'accord, nous pourrions l'héberger pour le repas du soir et la nuit !

— (Pas question de passer la nuit dans la même maison que cette femme. Elle est bien capable de verser une potion qui me ferait parler pendant mon sommeil).

J'apprécie votre grande générosité mais je me vois au regret de décliner votre invitation. Je suis attendu en soirée chez des amis que j'ai vus il y a fort longtemps. Il serait très impoli de ne pas me présenter.

Un léger soupir de soulagement, à peine perceptible, jaillit de la poitrine du curé. Pendant ce temps, le visage de madame curé tourna au rouge avant de devenir complètement violacé.

— Très bien dit-elle. Si monsieur le curé est prêt à vous recevoir maintenant, qu'il en soit ainsi.

(Grand-père me semblait fatigué. Voilà maintenant plus d'une heure qu'il parlait en faisant ici et là quelques pauses que j'appréciais grandement. Il ouvrit les yeux, cela signifiait qu'il en avait assez dit pour cette première séance. C'est vrai, je ne vous ai pas dit que grand-père raconte les yeux fermés. Un jour qu'il avait un petit verre dans le nez, j'osai lui demander pourquoi. Il me répondit qu'il avait rencontré un grand conteur irlandais qui lui aussi fermait les yeux pendant qu'il contait. Le conteur lui avait alors expliqué la technique et grand-père, après quelques essais infructueux, en arriva à la pleine maîtrise. Il m'expliqua qu'en fermant les yeux, les images lui viennent comme s'il était présent à l'époque et sur les lieux de l'histoire qu'il raconte. Pour ma compréhension d'enfant, il ajouta que tout se passe dans sa tête comme les images qui se présentent sur l'écran de cette invention qu'on appelle télévision.

Quoiqu'il en soit, j'étais ravi de la décision de grand-père de reporter la suite. J'avais la tête pleine et je me devais de courir à la maison pour prendre des notes avant de tout oublier).

Chapitre Deux : Monsieur le curé

Il est vrai que le curé du village a atteint un certain âge que l'on qualifie de respectable en notre milieu. Ce que je vais te révéler sur notre curé, sache que tu seras le seul à en avoir la connaissance. Il est donc important que tu ne divulgues rien de ce que je vais te dire avant le moment de livrer toute l'histoire.

Tout le monde au village sait que le curé est étranger, qu'il y est venu au début de son sacerdoce, qu'il a quitté la région pendant une vingtaine d'années, de 1926 à 1945 environ et qu'il est de retour depuis.

Notre curé est un homme d'une grande discrétion et aux questions posées par les villageois pour savoir ce qu'il avait bien pu faire pendant toutes ces années, il donnait pour réponse qu'il a pratiqué son sacerdoce en d'autres lieux. Il était hors de question qu'il mente tout autant qu'il révèle ce qu'il était advenu de lui pendant toutes ces années. Si les paroissiens l'avaient appris, ils auraient demandé à l'évêché de le transférer en d'autres lieux, le plus loin possible.

Rassure-toi. Monsieur le curé n'a commis aucun délit qui soit répréhensible aux yeux de la loi des hommes ; mais sache que la loi de l'Église est plus exigeante à l'égard de la foi et n'accepte pas la moindre déviance. Même si certains ecclésiastiques importants sont capables de pardonner des écarts de conduite, ils préfèrent ne pas être confrontés à ces situations.

Tout comme moi, le curé est natif d'une petite ville côtière qui a vu naître les plus grands navigateurs de ce siècle et bien d'autres personnages importants. Dès son plus jeune âge, celui qui deviendrait notre curé faisait preuve d'une grande curiosité. Il voulait tout savoir, tout comprendre. Le mot pourquoi était attaché à ses lèvres comme un feu sauvage permanent. Son père était excédé par toutes ces questions auxquelles il ne pouvait répondre. Non pas qu'il était ignorant en toutes choses mais son garçon avait le don de lui poser des questions pour lesquelles il n'avait que des réponses partielles et bien sûr insatisfaisantes pour le principal intéressé.

Dès son plus jeune âge, il avait été repéré par la curie épiscopale. Plusieurs avaient rapidement remarqué chez lui de la graine de monseigneur. On s'y connaissait en monseigneur, il s'en trouvait un en cette cité depuis déjà une centaine d'années.

C'est ainsi que dès le niveau primaire terminé, le père de notre jeune homme reçut la visite prestigieuse du secrétaire du diocèse. Il s'était annoncé portant un message personnel de l'évêque.

On venait l'informer que son garçon avait été choisi parmi des centaines pour entreprendre des études supérieures au séminaire. Tous les frais seraient pris en charge par l'évêché. Pour la circonstance, le secrétaire avait demandé la présence de la mère du garçon. Il tenait à recevoir l'assentiment des deux parents.

À une époque pas si lointaine, cette seule visite était considérée comme un honneur et un privilège. Si de plus il vous était demandé de confier votre fils cadet aux bons soins des serviteurs du Seigneur, cette famille était assurée d'une place confortable au paradis.

La nouvelle se répandit comme se répand la mauvaise herbe dans un jardin. La famille du jeune élu n'était plus regardée de la même façon. Certains regards étaient envieux, d'autres admiratifs mais aucun n'était indifférent.

Même si la séparation fut douloureuse pour un garçon si jeune, à peine douze ans, il était au comble du bonheur. Il s'était dit que là-bas, il se trouverait bien quelqu'un pour répondre à ses questions.

Malgré sa grande curiosité, notre jeune homme se montrait patient, très patient même, avant de poser les quelques questions qui lui torturaient l'esprit. Cela fut d'autant plus facile qu'une bibliothèque immense contenant des milliers de livres était disponible pour toute personne désireuse d'en savoir plus.

Il s'était dit que lire les plus pertinents à sa recherche lui permettraient de poser des questions précises et peut-être même qu'il ne lui serait pas nécessaire d'importuner les enseignants, qui vous vous en doutez bien, étaient tous des serviteurs du Seigneur.

Mais un jour qu'il se rendait à la bibliothèque, il y aperçut un vieux prêtre assis à un pupitre isolé des espaces réservés à la lecture ou à la consultation des volumes. Le vieil homme était penché sur un immense volume et peinait à le lire tellement sa vue semblait lui faire défaut. En s'approchant de lui, notre jeune homme constata que le vieux prêtre utilisait une loupe pour lire. Que pouvait-il bien lire de si important pour sacrifier ses yeux ? Arrivé à sa hauteur, le vieux prêtre se redressa lentement et tourna son regard vers le jeune homme. La suspicion pouvait se lire dans ses yeux. Comme le silence est de rigueur, le jeune homme n'osa pas aborder le vieux prêtre qui, de toute évidence, semblait très mécontent de la situation.

Dès leur arrivée au collège, les enseignants prévenaient les jeunes séminaristes de la présence d'un vieux prêtre un peu troublé. On leur demandait de ne pas entrer en contact avec ce curé pouvant les induire en erreur avec ses idées qui divergeaient de celles de la théologie catholique. On leur précisa qu'il était peu probable de le croiser mais si cela se présentait, s'en éloigner était la directive.

Notre jeune étudiant se remémorait cet avertissement; il était certain de se trouver en présence du prêtre à éviter. Sa soutane usée à la corde, blanchie par le trop grand nombre de lavages, lui conférait un air de mendiant. Il s'agissait bien de celui à fuir. Il faut savoir que notre jeune homme n'était pas de ceux qui obéissaient aveuglément et souvent une interdiction était pour lui matière à délinquance.

Comme il n'était pas question d'aborder le vieux prêtre en cet endroit, il décida de se rendre à l'extérieur de la bibliothèque et de s'installer de manière à apercevoir le vieux prêtre à sa sortie. Il avait l'intention de le suivre discrètement jusqu'à son logis.

L'attente dura deux longues heures pendant lesquelles le jeune garçon patienta bien qu'il se demanda à quelques reprises si le vieux prêtre n'avait pas quitté par une porte connue de lui seul. Finalement, il sortit de la bibliothèque en regardant de part et d'autre si quelqu'un pouvait l'apercevoir. Il était vraiment bizarre, pensa le garçon. Peut-être qu'il est même un peu dangereux et voilà pourquoi on nous défend de lui parler. Ces quelques idées traversèrent son esprit pendant un instant et n'y demeurèrent guère longtemps, pas assez pour faire naître un sentiment de peur l'incitant à changer d'idée.

Le vieux prêtre se déplaçait comme un voleur qui craint de se faire voir. Il regardait régulièrement à l'arrière et de chaque côté afin de s'assurer qu'il n'était pas suivi. Heureusement que le jeune garçon connaissait bien les alentours, et en se faufilant, il put ainsi se soustraire aux regards du vieux prêtre. C'est alors que celui-ci prit une direction habituellement peu fréquenté par les séminaristes. On leur avait dit que ce territoire était celui des enseignants et des résidents permanents. Ce fut au tour du jeune homme à prendre garde de ne pas être aperçu tout en poursuivant sa filature. Ils se rendirent au fin fond de la cour. Il s'y trouvait une petite cabane et le vieux prêtre y pénétra. Il ne pouvait pas s'agir de sa maison, pensa le garçon, on n'y garderait pas les cochons tellement cette cabane est en désuétude. Et l'hiver, elle doit être glaciale.

Le vieux y pénétra doucement en refermant ce qui avait été jadis une porte. Le jeune homme s'approcha et attendit quelques instants avant d'y frapper. Il ne voulait pas que le vieux prêtre puisse penser qu'il avait été suivi.

La porte s'ouvrit avec difficulté en grinçant de tout son long. Le vieux prêtre demeura bouche bée. Il ne savait que faire. On lui avait pourtant dit que les jeunes séminaristes ne viendraient pas jusqu'à lui et voilà qu'il s'en trouvait un sous ses yeux. On lui avait expressément défendu d'adresser la parole à ces jeunes âmes sans défense. C'est alors qu'il reconnu le jeune garçon de la bibliothèque.

Le vieux prêtre sachant qu'on disait de lui qu'il était un peu dément, décida de faire des simagrées en espérant faire peur à ce visiteur importun. Il sautillait et tirait la langue. Mais rien n'y fit. Le jeune homme savait fort bien qu'il jouait la comédie et il n'était pas question de quitter sans connaître les motifs de l'isolement de ce pauvre homme dans des conditions aussi misérables.

— Si vous faites ces singeries pour me faire fuir, vous perdez votre temps. Il vaudrait mieux retrouver votre ordinaire car pour vous avoir observé, je sais fort bien que vous n'êtes pas ce que vous prétendez présentement.

Il cessa ses grimaces sur le champ et tendit la main à ce jeune impétueux qui n'avait pas froid aux yeux. Ces vingt dernières années, personne n'avait osé se rendre dans sa bicoque même pas un seul responsable du séminaire.

Il voulait parler mais les mots demeuraient coincés au fond de sa gorge. Sa dernière conversation datait de si longtemps qu'il ne savait plus. Son cœur frémissait de joie. Il referma la porte.

La maison était sombre : une seule ouverture servait de fenêtre, une petite lampe à l'huile sur le coin de la table et sur celle-ci une pile de livres jaunis par le temps. Le jeune garçon avança de quelques pas et quelle ne fut pas sa surprise d'apercevoir dans le coin de la maisonnette une étagère pleine de volumes.

— Que font tous ces bouquins ici, ne devraient-ils pas se trouver dans la bibliothèque du séminaire, demanda le garçon ?

— C'est votre ignorance de leur contenu qui vous fait parler ainsi, répliqua le prêtre. La majorité de ces livres ne seraient pas autorisés dans la bibliothèque.

— Et pourquoi donc ?

— J'hésite à vous répondre. Vous êtes bien jeune et si par malheur, les autorités du séminaire apprenaient votre venue en ce lieu, je serais blâmé et accusé d'avoir corrompu un jeune, faute impardonnable à leurs yeux.

— Et comment pourraient-ils apprendre que je suis venu dans votre maison ?

— En vous instruisant de la teneur de ces livres, vous pourriez vous imaginer qu'ils représentent un danger pour la foi chrétienne et courir auprès des autorités pour les prévenir.

— Il est vrai que je suis jeune mais pas naïf. Je suis tout à fait conscient que la théologie catholique n'est pas unique et universelle.

Voilà qui surprit le vieux prêtre. Il ne s'attendait pas à entendre de la bouche d'un si jeune garçon une telle affirmation. Plus il le regardait et plus il se voyait 40 ans plus tôt. Il lui plaisait ce jeune et advienne que pourra, il lui ferait confiance. Le jeune homme reprit la parole.

— Je veux en savoir plus sur les dangers pour la foi chrétienne. Jusqu'à aujourd'hui, les livres que j'ai lus me vantent le catholicisme et le présente comme la seule voie possible pour le salut des âmes. Alors, pourquoi existe-t-il plusieurs religions si cela est vrai ? Pourquoi toutes ces guerres de religion depuis la nuit des temps ? S'il en est du catholicisme ce que prétendent les auteurs des livres dans la bibliothèque du séminaire, tous les humains seraient catholiques ! Le salut de leur âme prévalant sur tout autre raison de vivre, ils se seraient convertis. Mais comme ce n'est pas le cas, il doit bien y avoir un motif que la raison démontre.

Il n'en fallait pas plus pour convaincre le vieux prêtre que ce jeune homme ne présentait aucun danger pour sa personne mais il en subsistait un pour le garçon. Les interrogations qu'il avait l'exposaient à l'isolement, voir à la réclusion perpétuelle si les autorités du séminaire en étaient informées. Il voulut le mettre en garde.

— Je présume que vous êtes conscient du danger que ces questions présentent pour vous et votre avenir ! Il faut vous montrer d'une extrême prudence et ne discuter avec quiconque en ces murs de votre foi vacillante en l'église catholique.

— Vous êtes la première personne avec qui j'en discute et soyez assuré que j'avais très bien saisi la difficulté du sujet en ce lieu. Maintenant, parlez-moi de ces livres et des idées qu'ils renferment.

— Très bien. Je vais vous présenter quelques-uns des auteurs et vous prêter ces livres pour vous permettre d'appréhender les idées qu'ils défendent. Mais sachez que c'est la première et la dernière fois que nous nous rencontrons. Il serait trop dangereux de se comporter autrement, nous finirions par nous faire prendre sur le fait et cela je ne le veux pas. À moi, ils ne peuvent rien faire mais pour vous, encore jeune, cela serait un désastre pour votre soif de savoir. Alors, voilà ce que nous allons faire : je vais déposer un livre à la fois en un endroit connu seulement de nous deux. Lorsque vous en avez terminé la lecture, vous le remettez à cet endroit et je vous en place un autre aussi longtemps qu'il vous sera nécessaire pour tous les lire. Est-ce que cela vous convient ?

— Cela me convient à demi. Ne plus vous rencontrer pour discuter ne me plaît pas du tout.

— Je ne pourrai en dire plus que ce que vous trouverez dans ces livres. Il est inutile de prendre des risques pour le seul plaisir de converser. Avec ces lectures, vous vous ferez votre propre idée et cela est parfait.

— Mais que faites-vous de mon besoin d'un maître pour apprendre plus rapidement ?

— Je ne suis pas ce maître car je ne puis vous enseigner ce que j'ignore et les questions qui vous hantent sont les mêmes pour lesquelles je n'ai pas trouvé de réponses.

Le jeune garçon prenant toute la mesure de la détermination du vieux prêtre dut se résoudre à abdiquer et promit de ne pas chercher à le revoir pour quelque raison que ce soit. Satisfait, le prêtre retira quelques livres de son étagère et les présenta au garçon :

— Voici une critique des «*preuves de l'existence de Dieu*» d'Emmanuel Kant, philosophe allemand né en 1724. En voici un de Voltaire, écrivain et philosophe français né en 1694 qui écrivit la phrase célèbre «*L'univers m'embarrasse, et je ne puis songer que cette horloge existe et n'ait point d'horloger*». Voici une œuvre de Galileo Galilei, physicien et astronome italien né en

1564. Il y présente sa thèse. Il affirme que la terre tourne sur elle-même tout en tournant autour du Soleil, ce qui est tout à fait contraire à certains passages de la bible et à la pensée des théologiens de cette époque. Il fut condamné à résidence par le Saint-Siège en 1633. Ce n'est qu'en 1757 que ces ouvrages furent retirés de l'index. C'est vous dire toute l'ignorance de l'église catholique. En voici quelques autres : Le Coran, livre saint des musulmans et La Torah, livre saint des juifs.

Notre jeune homme bouillait d'impatience de tout lire malgré l'avertissement de ne rien y trouver pour répondre à ses questions. Il croyait fermement le contraire. Il regarda alors sur la table et saisit celui qu'il voulait apporter à l'instant.

— Non, pas celui-là maintenant. Il sera votre dernière lecture. Ainsi vous saurez que nous avons terminé. Je placerai le premier dès demain. Je ne voudrais pas que vous sortiez d'ici avec un livre et que vous vous fassiez surprendre. Il en serait terminé de votre périple.

Le jeune homme accepta cette proposition. Mais en prenant ce livre, il aperçut une pile de feuilles écrites d'une couleur d'encre que l'on ne trouve pas ici. Il s'en étonna et en demanda l'origine au vieux prêtre. Celui-ci hésita quelques instants avant de répondre.

— Il s'agit d'un manuscrit que m'a fait parvenir un collègue qui habite en France et qui me transmet régulièrement des livres par l'intermédiaire d'un ami commun qui a l'autorisation de me visiter une fois par année, le jour de la naissance du Christ. Je dirais que ce document n'a pas encore atteint le statut d'essai mais est en voie de le devenir. Il s'agit des premiers écrits d'un jeune jésuite qui a pour nom Pierre Teilhard de Chardin. La pensée de ce jeune jésuite est d'une profondeur que je n'ai pas rencontré à ce jour malgré les grands noms qui siègent sur mes tablettes.

— Quel est le titre de ce manuscrit, demanda le jeune garçon ?

— Cela s'intitule «*La vie Cosmique*». Je m'affaire à lui répondre et à lui adresser toute mon appréciation et mon admiration. Je me permets même de lui transmettre toutes mes réflexions sur le sujet qu'il pourra développer à sa guise. En voici l'essence :

Le point «*Oméga*» désigne le pôle de convergence de l'évolution et le point «*Alpha*» celui de la création du temps. Je pense que l'Homme doit rejoindre Dieu en ce point *Oméga* de parfaite spiritualité.

Je ne serai bientôt plus de ce monde et les années qui me restent ne seront pas suffisantes pour faire la démonstration de ce postulat. Je suis persuadé que ce Teilhard de Chardin y parviendra. Déjà ce premier traité est annonciateur de cette possibilité.

— Pardonnez mon ignorance mais je ne saisis pas le sens de vos paroles.

— Fort bien, mais soyez rassuré. Vous auriez affirmé comprendre que je ne vous aurais pas cru.

Il est maintenant grand temps que vous quittiez ce lieu et n'oubliez pas que vous ne devez pas revenir ici malgré tout ce qui pourrait m'arriver.

Le jeune garçon ne voulait pas partir. Il savait fort bien qu'il ne pourrait le revoir et cette idée lui était insoutenable. Mais il ne pouvait en être autrement.

Quelques années plus tard, un matin d'automne pluvieux, à une heure inhabituelle, les cloches de la chapelle se firent entendre tout doucement. On aurait dit qu'elles ne voulaient pas réveiller toute la communauté à cette heure très matinale. Le jeune garçon, qui ne dormait pas parce que trop occupé à la lecture du dernier livre prêté par le vieux prêtre, s'étonna de la mélodie du carillon. Elle était normalement dédiée au décès mais aucune annonce n'avait été faite à ce sujet. Un doute traversa son esprit. Se pourrait-il qu'il s'agisse du vieux prêtre se demanda-t-il ? Il s'empressa de se vêtir et s'engouffra dans les corridors de la résidence afin de se rendre le plus rapidement possible à la chapelle sise à l'autre extrémité du bâtiment.

Arrivé à la porte de la chapelle, il fut surpris de ne pas y apercevoir la traditionnelle couronne de fleurs accrochée à la porte et annonçant ainsi un décès. Il se dit alors qu'il avait peut-être confondu la mélodie des cloches. Il voulut en avoir le cœur net et entra. Qu'elle ne fut pas sa surprise d'apercevoir tout près de la balustrade un cercueil recouvert d'un drap fatigué par le temps qui lui avait retiré toute sa couleur.

Seuls un célébrant et un enfant de cœur se trouvaient à l'intérieur. Ils avaient officié la cérémonie funèbre à grande vitesse puisque déjà ils récitaient les dernières prières. Le jeune homme attendit que tout fût terminé et s'approcha du prêtre pour lui demander le nom de la personne décédée. Il reçut pour toute réponse qu'il s'agissait d'un sans-logis retrouvé aux portes du séminaire. Réponse trop évasive au goût du jeune homme, un doute traversa son esprit. Pourrait-il s'agir du vieux prêtre qui lui prêtait tous ses livres ? Il sortit précipitamment de la chapelle et se rendit sans prudence à la maison du vieux prêtre. Il frappa à la porte. Aucune réponse. Il entra.

Plus rien, tout avait été retiré de la maison, les quelques meubles et les beaux livres qu'il avait lus avec passion. La maison était vide comme si elle n'avait jamais été habitée.

(Grand-père interrompit son histoire. Il ouvrit les yeux et me regarda fixement. Comme il attendait que je lui demande le titre du dernier livre, je voulu me montrer peu intéressé par cette information. Mal m'en pris.)

Les années passèrent et les livres officiels consultés s'additionnèrent avec une célérité qui remplissait de bonheur le cœur de ses enseignants. Mais malgré tous ses efforts, il n'avait pas encore trouvé réponse satisfaisante à ses interrogations. Il gardait tout de même la conviction que sa présence en ces lieux et ses études demeuraient la meilleure chose qui pouvait lui arriver.

— Grand-père, s'il-vous-plaît, donnez-moi le titre du dernier livre !

Un sourire de soulagement se dessina sur ses lèvres.

— Fort heureusement que tu le demandes, j'étais sur le point de passer outre cette information.

Alors il s'agissait d'un traité sur le chamanisme amérindien. Maintenant, nous pouvons poursuivre.

Avec l'expérience acquise au cours de ces années, il avait assez vite compris que ses questions n'avaient pas vraiment leur place en ces lieux même si elles étaient très pertinentes. La lecture de certains livres lui apprit que ces questions dataient de la nuit des temps et que des réponses furent apportées dès les premiers jours de la naissance de l'Église catholique.

Ce furent les réponses fournies qui ne réussirent pas à traverser toute la profondeur de son âme pour lui procurer la paix tant recherchée. Il avait la conviction que ces explications n'étaient pas complètes et qu'il lui fallait chercher encore et surtout ailleurs. Mais où, cela il l'ignorait.

Voisin de la résidence de ses parents, une autre famille avait son domicile. C'était une famille bien nantie. Le paternel pratiquait une profession importante et il était souvent reçu à l'évêché. L'évêque le consultait pour savoir ce qu'il convenait de faire avec les propriétés du diocèse, qu'il s'agisse des bâtiments ou des terrains. Notaire était la profession de ce père d'une famille nombreuse.

Les deux voisines donnèrent naissance à leur cadet respectif la même année. Notre jeune séminariste était l'un des deux. Le cadet du notaire avait lui aussi été choisi par l'évêché pour devenir prêtre. On ne percevait pas chez-lui le même potentiel que chez le premier mais on avait la certitude qu'il ferait un bon prêtre.

Le notaire et sa femme reçurent la même visite. Ils en étaient honorés mais ne savaient comment décliner cette proposition. Ils ambitionnaient pour leur dernier la profession de notaire. Le père voyait en lui le successeur tout désigné de son étude. La naissance tardive, un accident dirent certains voisins, était un signe du Très-Haut, une réponse claire à ses prières. Parmi leurs autres garçons, aucun n'avait montré l'intérêt nécessaire et le notaire savait que les premiers n'avaient pas le talent suffisant pour apprendre et maîtriser cette profession.

Bien des doutes traversèrent l'esprit du notaire pendant les premières années de vie du cadet mais jamais il ne perdit confiance.

Le jeune garçon avait hérité d'une santé fragile. Les mauvaises langues attribuaient cette mauvaise santé au notaire et à sa femme qui refusaient de pratiquer l'abstinence. Madame était trop avancée en âge pour donner naissance à un enfant en bonne santé. Elle avait été la plus vieille des femmes à donner naissance dans les cinquante miles à la ronde.

Mais notre pauvre notaire n'était pas au bout de ses peines. Le garçon, non seulement avait la santé fragile, mais il n'avait ni les aspirations de l'évêché ni celles de son père. Son royaume n'était pas sous les cieux de ce comté.

Les deux garçons, malgré leur classe sociale différente, se ressemblaient beaucoup. Ils aimaient, lorsque l'occasion se présentait, se retrouver ensemble et discuter de leurs aspirations. C'est ainsi qu'ils découvrirent qu'ils partageaient les mêmes questions. À deux, se dirent-ils, il nous sera plus aisé de trouver des réponses.

Leurs rencontres prirent fin abruptement. Un beau matin, notre jeune séminariste apprit que le plus jeune garçon du notaire s'était enfui de la maison familiale. Il connaissait ses intentions mais il était loin de se douter qu'il passerait finalement à l'action. Sous ses airs maladifs, son jeune ami était doté d'une volonté à toute épreuve. Il venait d'en faire la démonstration.

Fort heureusement, les deux garçons avaient convenu d'un pacte quelque temps avant cette fugue : prévenir l'autre dès que l'un d'eux découvrait les réponses à leurs questions.

Quelques années plus tard, notre séminariste avait complété toutes les études et examens nécessaires pour prononcer les vœux usuels de chasteté, de pauvreté et autres vœux d'usage et ainsi être reçu vicaire.

Le talent et le potentiel du jeune garçon en surprirent plus d'un parmi les enseignants. On était étonné par la vivacité de son esprit et sa capacité à bien saisir tout le sens de la parole du Christ. Ces qualités étaient si grandes chez-lui qu'elles attirèrent l'attention du maître enseignant. Il confia son sentiment à l'évêque et ensemble décidèrent de convaincre le nouveau vicaire de faire des études théologiques avancées.

Après quelques années d'études supplémentaires, ils voulurent le mettre à l'épreuve. Depuis son arrivée au séminaire et malgré tout son talent, un doute persistait dans l'esprit de quelques-uns face à la véracité de son engagement. C'est ainsi qu'ils lui confièrent une petite cure dans le haut-pays, loin de la ville et à l'abri de toute influence néfaste. Le jeune vicaire se retrouva donc dans notre village. De toute évidence, la joie ne se lisait pas sur son visage mais le devoir d'obéissance à un évêque était également inclus dans la litanie de vœux. Il se devait de suivre les indications et recommandations de son supérieur. Nous étions en 1920 et il était âgé de trente ans.

Il demeura en notre village jusqu'en 1926, année de mon mariage avec ta grand-mère. Peu après, il quitta le village et nul ne sut où il s'en était allé. Plusieurs étaient d'avis qu'il avait été rapatrié à l'évêché alors que d'autres affirmaient qu'il avait été envoyé dans des pays lointains afin d'y prêcher la parole du Christ.

Pendant toute la durée de son premier séjour, l'opinion des villageois à son égard ne faisait pas l'unanimité. Certains l'aimaient beaucoup. Il n'était pas comme le vieux curé précédent qui se mêlait des affaires de tout le monde, leur indiquant ce qui était bien ou mal. D'autres l'aimaient moins. Ils appréciaient la pratique de son prédécesseur, la vie leur était plus facile et le chemin pour le paradis bien indiqué.

Cependant, tous appréciaient le sermon du dimanche et ceux de la semaine sainte encore plus. Habituellement, ce moment pendant la cérémonie religieuse en était un pour certains de faire la sieste. Notre jeune curé avait le verbe facile et les mots sortaient de sa bouche comme par magie. Jamais, il n'avait de notes pour le guider et encore moins de texte préparé à l'avance. Il parlait avec son cœur ce qui avait pour effet de rendre intéressants ses propos aux oreilles de ceux qui auparavant profitaient de ce moment pour faire une petite sieste.

Je te rappelle que ce jeune curé était à la recherche de réponses aux quelques questions qui l'affligeaient depuis son enfance. Il n'avait rien découvert de très satisfaisant à la lecture des livres trouvés dans la bibliothèque de l'évêché et de ceux du vieux curé, ni rien entendu de pertinent des enseignements reçus. Tu peux être assuré que sa recherche a été conduite avec minutie, ténacité et tout le sérieux qu'elle nécessitait. Plusieurs de ses enseignants le voyant ainsi intéressé par les saintes écritures et par tous les grands théologiens étaient persuadés de la foi sincère qui l'habitait. C'est pourquoi il fut encouragé à poursuivre des études supérieures. Mais tel n'était pas la première motivation du jeune prêtre malgré tout le respect dont il faisait preuve à l'égard de ses maîtres.

Effectivement, certains paroissiens eurent raison de penser qu'il se fatiguerait rapidement de sa présence dans ce village tranquille. Un jour et sans préambule, il quitta pour un pays étranger, mais pour des motifs très différents de ceux appréhendés par les villageois.

En 1926, il prit connaissance d'une information qu'il n'aurait pu trouver dans la bibliothèque de l'évêché. Aussitôt lecture faite des quelques lignes disponibles, il écrivit une lettre à son évêque pour motiver les raisons de son départ. Elle jeta la consternation. Certains s'attendaient à une surprise de sa part mais jamais de cette nature. Il annonçait qu'il quittait pour aller étudier en Inde les enseignements de quelques grands sages.

Malgré le peu de danger que présentait ce genre d'études pour l'Église catholique, cela ne pouvait être entrepris sans conséquence pour notre ami. L'évêque lui écrivit personnellement pour l'inviter à venir le rencontrer et discuter de sa décision. Il accepta sans beaucoup d'entrain craignant la réprobation de l'évêque et les menaces d'excommunication. Mais tel ne fut pas le cas. On lui indiqua cependant que le grand avenir que plusieurs voyaient chez lui ne pourrait se concrétiser. Sa maîtrise des saintes écritures et la belle intelligence dont il faisait preuve auraient pu lui permettre d'atteindre le degré d'évêque, voire de cardinal. Son choix de partir indiquait clairement qu'il ne pourrait en être question.

Il était grandement apprécié du clergé. Plusieurs plaidèrent la clémence auprès de l'évêque afin qu'il ne soit pas rejeté de la prêtrise et qu'il puisse revenir servir son Église. L'évêque demanda à réfléchir. Il posa une condition. S'il décidait de revenir au pays pour y servir le Seigneur, il serait affecté dans son village actuel pour toutes les années à venir, si et seulement si, les paroissiens étaient consentants à l'accueillir.

Voilà pourquoi, ce jeune curé est devenu notre vieux curé.

Chapitre Trois : Le commandant

(J'ai beau regarder les yeux des parents et ceux de mes frères et sœurs, aucune lumière n'y paraît. N'y aurait-il que moi qui entende cette douce symphonie? Depuis que mes oreilles sont capables de distinguer les bruits qui ne proviennent pas seulement de mon ventre parce qu'il est affamé, il leur arrive, à l'occasion, d'entendre une musique qui ne vient ni du ventre ni de quelque endroit dans la maison. Et chaque fois que cela se produit, j'en suis certain, mes yeux scintillent d'une curiosité désireuse d'en connaître l'origine. Peut-être n'y a-t-il que moi qui suis ignorant de sa provenance ce qui expliquerait le peu d'intérêt de la maisonnée?)

Nous sommes à la fin du XIXe siècle et le jeune garçon, dans la tête de qui trottent ces pensées, n'a pas encore atteint l'âge de raison. On le trouvait précoce à plusieurs égards mais il affichait un net retard pour son adresse à marcher. On ne savait pourquoi, mais lorsqu'il se levait debout, un vertige l'assaillait. Le plancher de la maison n'était pas stable, se disait-il, il lui arrivait même de régurgiter lorsqu'il tentait l'expérience d'adopter la position debout. Cela était devenu tellement préoccupant que ses parents lui trouvèrent une maladie pour expliquer aux visiteurs son incapacité à se comporter comme tous les enfants de son âge. La situation était d'autant plus critique que des visiteurs de marque se présentaient occasionnellement à la maison pour y rencontrer son père. On les conduisait dans un endroit où seuls les adultes pouvaient pénétrer et on refermait la porte. Ils pouvaient y demeurer pendant des heures et lorsqu'ils en sortaient, ils n'en finissaient plus avec les remerciements et les félicitations sur le bon goût des parents pour l'aménagement intérieur.

Pour le protéger, disait-on, on évitait de le sortir à l'extérieur. De toute évidence, on ne voulait pas le montrer à l'entourage, la honte était plus grande que l'amour qu'on lui portait. Il en était fort malheureux, mais le son mystérieux qui murmurait à l'occasion à ses oreilles lui faisait oublier ce déni de sa famille.

Il était convaincu que cette douce mélodie provenait de l'extérieur de la maison. Il résistait péniblement à son appel et cela lui suffisait pour fournir tous les efforts nécessaires à maîtriser la position debout et à se déplacer malgré les nausées que cela provoquaient.

Arriva le jour où il réussit à franchir la longueur de la cuisine en marchant. Ce fut une victoire pour lui et un grand soulagement pour ses parents. Les prières de sa mère adressées à sa patronne avaient porté fruits. Pour sa mère, il s'agissait d'un miracle, rien de moins. L'enfant laissé pour compte par la nature était enfin libéré et pouvait désormais être considéré comme normal. Il n'en fallait pas plus pour avoir droit à une première sortie publique. Il verrait enfin l'endroit où se rendait la famille, une fois par semaine, portant des vêtements délicats. Habituellement, ces sorties étaient faites en voiture. Mais pour la première du jeune garçon, ce fut en marchant qu'ils s'y rendirent. On voulait que le plus grand nombre puisse le voir marcher comme tout le monde. Mais la distance étant longue, son grand frère du le porter à quelques reprises.

Ils arrivèrent devant un bâtiment d'une forme étrange, en rien semblable à tous ceux des alentours. Il y avait plein de monde. Tous s'approchèrent pour saluer respectueusement ses parents.

Quel magnifique endroit, plein de lumières et d'une dimension qui dépassait son entendement. Il est vrai qu'à l'âge de cinq ans, l'entendement n'est pas bien grand.

Tout à coup, une musique se fit entendre. Quoique différente, elle était d'une grande beauté et elle lui rappelait celle dont il n'avait pas encore découvert l'origine. Il était subjugué. Il ne pouvait retenir ses larmes. Sa mère surprise, s'inquiéta, elle lui demanda s'il éprouvait quelque malaise, s'il désirait s'en retourner à la maison. De la tête il lui fit signe que non et pour la rassurer totalement il plaça sa main dans la sienne. Il ne voulait surtout pas quitter cet endroit magnifique. Il appréciait cette douce musique qu'il entendait et qui lui semblait être un appel à des magnificences toutes aussi grandes que celles qu'il admirait en ce lieu.

L'hiver approchait et les quelques rares occasions où il pu sortir à l'extérieur ne lui permirent pas de résoudre l'énigme de la musique qui le poursuivait nuit et jour. La mélancolie des mauvais jours revint sur son visage et sa mère, à nouveau, s'inquiéta. Elle l'interrogea voulant connaître la nature de cette affliction, mais il refusait de lui répondre; elle ne pourrait comprendre car la tristesse qui siégeait au fond de son âme était à des profondeurs abyssales que même les mots ne sauraient faire remonter à la surface. Et s'il tentait de lui expliquer, elle serait bien capable de penser qu'il souffrait d'une autre maladie et ainsi le laisser à l'intérieur de la maison tout au long des saisons à venir.

Les gens continuaient d'affluer à la maison. Certains entraient en pleurant et en ressortaient tout joyeux, d'autres, avec un air grave comme si leur vie dépendait de cette visite. Enfin, certains s'en retournaient en se frottant les mains.

Pendant longtemps, il avait pensé que monsieur le notaire était le nom de famille de tous ceux qui habitaient leur maison, comme monsieur Ladouceur ou monsieur Lechasseur. Ce fut lors d'une visite pleine de cérémonie d'un homme majestueux tout habillé d'une longue robe noire que lui fut révélé leur nom de famille. En entrant dans la maison, il s'adressa à ses parents de la manière suivante : «Bonjour monsieur et madame Brousseau. Comment vous portez-vous en cette belle journée ?». Un homme de cette stature, et considérant l'attitude déférente qu'il suscitait chez ses parents, était certainement une personne d'une grande importance. Au fil de leur conversation, il demanda à son père si la profession de notaire n'était pas trop exigeante puisque très semblable à celle de confesseur qu'il était. Il disait que d'entendre les secrets des uns et des autres était quelquefois lourd pour ses épaules malgré tout robustes. C'est ainsi qu'il comprit que son père exerçait un métier de la plus haute importance mais tout de même moindre que celui de l'homme en noir, puisque ce dernier avait droit à de grandes attentions de la part de ses parents. Enfin l'été arriva et avec lui le jour prochain de sa première année à l'école du village. Sa mère lui expliqua que les études étaient capitales pour un jour pratiquer le beau métier de son père. Il était tout à fait d'accord avec elle; lui aussi voulait entendre les secrets du monde.

Un dimanche de juillet, toute la famille se rendit près de l'endroit où prenait naissance selon lui la plus merveilleuse des musiques. Ils étaient là, sur la plage, à quelques pieds de l'instrument de musique qui avait bercé toute son enfance. Une idée folle traversa son esprit, comme un éclair qui pourfend le ciel un soir d'orage. Rien ne pouvait l'arrêter. Il se précipita, corps et âme, dans les bras de cette sirène envoûtante. Affolée, toute la famille se mit à crier. Il fit l'air de ne rien entendre. Malgré la froidure de l'eau, il ressentait un grand bien-être; il avait l'impression d'être dans son élément naturel, bien plus que sur terre. Il ne voulait plus revenir sur la plage, mais apercevant une nouvelle couleur sur le visage de son père, il prit peur et c'est à contrecœur qu'il revint sur la berge. Ce jour-là, il comprit tout le sens de l'expression «rouge de colère». Il n'avait jamais vu son père dans un tel état et malgré sa retenue habituelle, il ne put s'empêcher de lui foudroyer les fesses avec sa main gauche, la plus faible des deux, lui confiera-t-il plus tard. Il n'aurait pu imaginer qu'une main entraînée à tourner les pages des livres puisse provoquer une si grande douleur. Ce fut le jour également de leur premier conflit. Son père exigea la promesse de ne jamais répéter un geste d'une si grande folie. Plutôt mourir que de faire cette promesse. Constatant son entêtement, il ordonna que les visites en cet endroit ou tout autre du même genre soient dorénavant interdites.

Plusieurs années s'écoulèrent ainsi, mais elles le laissèrent indifférent. Il avait remarqué lors de cet épisode à la plage que la musique qu'il entendait n'était pas celle du fleuve. Il avait plongé la tête dans l'eau et c'est à ce moment qu'il réalisa que le fleuve n'était que l'instrument de musique. Il devait maintenant trouver l'instrumentiste.

À l'école, il rencontra un jeune garçon qui, comme lui, avait de grandes interrogations. Ils devinrent les meilleurs amis du monde. Ils profitaient de toutes les occasions pour se rencontrer et pour discuter. Bien que de classes sociales différentes, aucun des parents ne s'y opposa. Ils savaient leurs garçons différents des autres et ils estimaient qu'il était bien qu'ils puissent être ensemble.

Les études classiques étaient la seule voie possible pour les enfants mâles de son père. Les seules professions valables à ses yeux étaient celles d'avocat, de médecin ou de notaire et celles dites supérieures conduisaient à la prêtrise, bénédiction suprême pour un père de cette époque.

À la fin de son cycle primaire, monsieur le notaire reçut la visite du curé. Bien que connaissant les aspirations de son père pour son fils, il tenta tout de même de le convaincre que la prêtrise conviendrait mieux. Le curé l'informa que l'ami de son garçon avait lui aussi été invité à entreprendre les études classiques. Monsieur le notaire, honoré par cette invitation, déclina respectueusement. Il rappela au curé que la destinée de son dernier garçon ne pouvait être que le notariat.

Les études classiques étant nécessaires pour toutes ces professions, les deux garçons se retrouvèrent dans le même collège. L'un pour devenir prêtre et l'autre pour éviter la colère de son père. Un jour qu'ils étaient ensemble, le garçon du notaire interrogea son ami sur un sujet des plus délicats.

— Dis-moi, toi qui pose des questions difficiles pour lesquelles les réponses entendues n'ont pas été satisfaisantes à ce jour, est-ce que le destin existe ?

— Je ne sais pas. Ce n'est pas là un sujet qui présente beaucoup d'intérêt pour moi. Mon intérêt, tu le sais, est tout autre. Par contre, j'ai la certitude que pour toi et moi, l'appel de nos âmes est si puissant qu'il orchestre les événements de la vie pour nous tracer le chemin à suivre.

Il retarda le plus longtemps possible la confrontation finale avec son père. Plusieurs années s'écoulèrent tout doucement. Il obtenait de bonnes notes et son père voyait enfin sa potentielle relève. Il devait se dire qu'un garçon notaire serait préférable à la prêtrise car ainsi il aurait son paradis sur cette terre en lieu et place d'un hypothétique paradis céleste. Pour son père, il ne pouvait y avoir de plus grand bonheur.

Un tsunami se préparait. Les appareils de détection d'un semblable séisme faisant défaut, une vague énorme déferla sans prévenir dans toute la maison. Si puissante cette vague qu'elle transforma le calme sérénissime de son père en tempête tropicale de force 10. Rien ne résista. Le ciel venait de lui tomber sur la tête. Son chérubin venait de l'informer de son intention de devenir marin.

C'était un dimanche matin, quelques instants avant de quitter pour l'église, il espérait que le sermon du curé le ramènerait à de meilleurs sentiments. Le sermon du curé n'y fit rien même si le sujet portait sur l'enfant prodigue. Il était devenu sourd. Il avait de l'eau plein les yeux et les efforts pour cacher cette humiliante situation absorbaient toute son attention. Sa femme eut beau le pousser du coude, il demeurait complètement amorphe. Il venait de voir s'effondrer son paradis. Il devait se demander ce qu'il avait bien pu faire pour mériter semblable châtiment.

De retour à la maison, sa décision était prise. Il monta à sa chambre. La mère du délinquant l'accompagna. Il ne dit mot, prit une valise, ouvrit le tiroir de la commode contenant le linge du garçon et le plaça dans la valise. Cela fait, il remit la valise à son traître de garçon et une enveloppe dans laquelle il avait glissé un peu d'argent. Toujours sans mot dire, il lui indiqua la direction de la porte.

Le fils ignorait tout de la vie sauf ce que lui en avaient appris les bons frères du Sacré-Cœur, éminents professeurs. Parmi eux, il s'en trouvait un qui, à l'occasion, racontait quelques récits de voyage qu'il avait fait de par le monde. Il se rendit donc à leur résidence et demanda à le voir.

Le garçon lui raconta les derniers événements et le frère écouta sans rien dire. Il emprunta le rôle du confesseur, habitué de tout entendre mais souvent surpris par les histoires racontées tant elles semblaient surgir d'un autre monde. Après cette écoute attentive, il lança d'un air triomphant :

— Il y a une solution qui peut régler tout ça!

Surpris, le garçon demanda naïvement à la connaître. Le frère ne répondit pas immédiatement. Il espérait ainsi que cette attente silencieuse puisse faire surgir à son esprit l'idée de cette solution.

Le silence se prolongeait. Il se décida à parler.

— C'est simple, dit-il, il suffit que tu retournes auprès de ton père, que tu t'excuses pour toutes les douleurs causées et que tu lui promettes de poursuivre tes études pour un jour devenir un éminent notaire tel qu'il en rêve.

La réponse quoique polie fut sans équivoque.

— Il n'en est pas question. J'ai beaucoup appris de mon père, un homme savant et lettré, mais faire des excuses, jamais il ne m'enseigna, qu'elles soient justifiées ou pas.

Tôt le lendemain, un autre frère vint frapper à la porte de la chambre. Il lui demanda de venir le rejoindre à la cuisine. Les sept frères de la communauté étaient attablés. Une place était disponible et on l'invita à s'y installer. Un bol de gruau et quelques rôties de pain rassis attendaient pour assouvir la faim de loup qui le tenaillait. Il pensait à ce moment-là que les frères lui avaient donné ce pain pour le faire réfléchir à la grande misère qui pouvait attendre un fils de bien nanti s'il persistait à poursuivre sa folie. Rien n'y fit, il avait tellement faim qu'il avala le tout avec appétit, osant même en redemander.

Après quelques discussions stériles, tous avaient acquis la certitude qu'il était inutile de vouloir lui faire rebrousser chemin et devant cet état de fait, lui proposèrent de l'aider à se rendre à Montréal. Il y avait là une communauté qui comptait un frère qui fut marin au long cours avant d'entendre le seul appel qui méritait d'être entendu, celui de Dieu. Le peu d'argent que lui avait laissé le notaire lui permit de prendre le train, moyen de transport le plus sécuritaire pour celui qui ignore tout du chemin à suivre et des dangers qui surveillent les innocents.

Le frère marin le reçut avec enthousiasme. Il prit connaissance de la lettre préparée par les confrères du village qui lui demandaient de faire tout en son pouvoir pour satisfaire sa folie. Il expliqua au garçon que le mieux qui pouvait l'attendre pour son premier voyage, c'était le fond des cales. Devant la détermination du jeune garçon, ils se rendirent au port et il lui présenta une ancienne connaissance.

Le commandant d'un navire, battant pavillon turc, mit pied à terre et les accueillit chaleureusement. Fort heureusement, il s'exprimait dans un français impeccable, surprenant pour qui occupait un tel poste sur ce qu'il appelait fièrement son paquebot. Le frère et le commandant se retirèrent à l'écart quelques instants. Le frère lui expliqua les motifs de sa visite et lui demanda de bien vouloir accepter ce jeune garçon sur son navire. Il l'assura de son honnêteté et de sa volonté à vouloir devenir marin.

Le commandant expédia le jeune garçon à la cuisine en compagnie d'un cuisinier costaud, trop costaud pour se déplacer allègrement dans cette cuisine encore plus vieille que le rafiot qui l'hébergeait. Quelques jours plus tôt, il croyait encore fermement que la planète abritait des humains qui se divisaient en deux groupes; l'un parlant le français et l'autre, l'anglais. Jamais il n'aurait imaginé qu'il pouvait y avoir un troisième groupe. C'était certainement le cas puisque le chef cuisinier s'exprimait avec des mots qu'il ne reconnaissait pas. Il lui indiqua un coin sale et puant, lui montrant quelques sacs de pommes de terre et un couteau affublé d'une lame qui n'en était plus une depuis longtemps. Les semaines qui suivirent se ressemblèrent; du matin au soir, il jouait du couteau avec les pommes de terre, les oignons, les choux et un autre légume bizarre qu'il n'avait vu nulle part ailleurs. Il ne fallait pas compter sur le chef pour en indiquer le nom. Mais c'était peut-être ce qu'il tentait de faire lorsqu'une journée sur deux, il en apportait un sac en grommelant quelques sons.

Après quelques mois de travaux forcés dans la cuisine, il n'était pas question pour lui d'y passer toute sa vie. Marin il voulait devenir, pas un cuisinier ténébreux. Un soir que la lune était belle et que tout l'équipage avait bien mangé, il osa aller voir le commandant pour lui demander de lui confier quelques tâches plus nobles. Le commandant le regarda sans surprise et l'interrogea sur ses ambitions.

— Je veux apprendre à piloter le navire.

Le commandant était un homme d'une grande culture, tous ces livres dans sa cabine le confirmaient. Il aimait bien ce jeune innocent. Le soir, à la nuit tombée, ils discutaient de différents sujets. Discuter était beaucoup dire. Il suffisait de lui poser une question et il prenait une heure pour y répondre. Le jeune garçon comprit rapidement qu'il devait lui en poser une par soir, autrement, il risquait de se couper les doigts le lendemain, par manque de sommeil.

Quelques jours après cette fameuse affirmation qui faisait sourire les marins lorsqu'ils apercevaient le garçon, il le fit venir sur la passerelle de navigation. Le chef cuisinier ne semblait pas content, il grogna et lui fit signe de monter. Arrivé sur le pont, un marin l'y attendait. Il le conduisit auprès du commandant. Il était debout, près du gouvernail. Il marmonna quelques mots. Le pilote se retira. Le commandant prit la main du garçon et la plaça à côté de la sienne sur le gouvernail.

— Place ton autre main à dix heures et regarde au loin. Tu dois garder le cap indiqué par cette boussole.

À cet instant même, un éclair lui frappa le front et, pendant quelques instants, il se retrouva sur le plancher de la cuisine familiale. Les malaises de l'époque le reprirent. Ils ne durèrent que quelques secondes puis, s'évanouirent.

Pendant les dix années qui suivirent, le commandant, avec patience, lui apprit tout du métier de pilote et de commandant de navire. Le commandant tout doucement prenait de l'âge. Son assurance était moins grande et pendant la dernière année de sa vie en mer, il lui laissa la charge du navire à plein temps. Il sortait de sa cabine pour prendre les repas et un peu d'air sur le pont en fin d'après-midi.

Et puis, un jour, ils accostèrent au port d'Amsterdam. S'y trouvaient les bureaux des propriétaires du bateau. Le commandant l'invita à l'accompagner. En entrant, l'armateur le salua comme s'il le connaissait depuis longtemps. Il s'adressa au commandant :

— Voilà le jeune homme dont tu m'as si souvent entretenu dans tes lettres et qui selon toi est fin prêt à prendre ta relève.

En entendant cela, le jeune garçon maintenant devenu un jeune homme faillit s'effondrer. Mais le moment n'était certes pas approprié pour semblable démonstration, d'autant plus que cela aurait été suffisant pour susciter un doute sur ses capacités effectives de commander.

— C'est exact, répondit le commandant et il est grand temps qu'il en soit ainsi ajouta-t-il. Je n'en peux plus.

— Considérant tout le bien que m'a dit le commandant à ton sujet, j'ai décidé de te confier le commandement d'un navire plus récent que celui qui vous a transportés jusqu'ici. Ton commandant ne voulait pas quitter son navire, sauf pour ce moment-ci venu m'avait-il dit. Tu es chanceux, jeune homme. Tu as appris du meilleur commandant de la marine marchande que je connaisse et s'il en avait été autrement, jamais je ne te confierais le plus beau de mes navires. Prends-en grand soin.

Le lendemain, il s'embarqua sur le plus gros cargo du port d'Amsterdam, non pas comme adjoint du troisième cuisinier, mais comme commandant, seul maître à bord après Dieu.

Les années qui suivirent furent un véritable paradis. Toujours bercé par la musique de son enfance, il navigua sans relâche.

Pendant ce temps, sur la terre ferme se préparait une catastrophe. Ce fut avec stupeur qu'ils apprirent que l'Allemagne avait déclaré la guerre à ses voisins.

L'armateur lui demanda de revenir à son port d'attache. Il voulait discuter des dangers et des mesures à prendre. Il craignait que la marine allemande tente par tous les moyens de couler le navire.

Plusieurs ont pensé que cette guerre serait de courte durée et qu'il ne fallait pas s'en inquiéter plus que nécessaire. Mal leur en pris, elle dégénéra et devint mondiale. L'armateur avait eu raison de vouloir prendre quelques précautions.

Les dangers s'accrurent lorsqu'il fallut transporter des marchandises pour les forces alliées basées en Europe. Le transport de marchandises dites sensibles fut confié au nouveau commandant. Malgré les dangers et toutes les tentatives par la marine allemande de couler son navire, il réussit chacune des missions qui lui furent confiées.

Son navire avait été identifié et l'ennemi savait très bien qu'il était de toute première nécessité de l'éliminer. On avait informé notre commandant de la situation et on lui avait offert de l'accompagner avec quelques frégates. Il refusa à chaque fois ; il voulait se déplacer sans attirer l'attention croyant qu'il lui serait ainsi plus facile de mener à terme ses missions. Une fois par contre, il regretta ne pas avoir accepté une escorte.

À chaque fois qu'il devait transporter du matériel de guerre, on lui donnait un parcours précis à suivre. Le commandant se faisait un devoir de ne pas respecter les consignes de navigation. Il croyait ainsi pourvoir échapper plus facilement à l'ennemi. Arrivé en haute mer, il camouflait toutes les informations visuelles qui pourraient permettre de l'identifier. Son bateau devenait un vaisseau fantôme.

Une seule fois, mal lui en pris de ne pas suivre les instructions. Il se retrouva cerné par une flottille allemande. De toute évidence, sa présence causa la surprise. Le navire amiral s'approcha et constatant l'absence de canons, il dépêcha un groupe d'éclaireurs afin de mieux évaluer la situation de ce navire.

Cinq hommes bien armés montèrent sur le navire. Deux autres demeurèrent dans le canot qui les avait amenés. Un qui parlait anglais s'adressa au commandant et lui demanda ce qu'il transportait. Ce dernier lui répondit qu'il avait dans ses cales du poisson séché destiné à la Bulgarie, en mer Adriatique. Le jeune homme se montrait sceptique. Il demanda à voir la cargaison. Le commandant s'empressa de lui donner satisfaction. Il ne put que constater qu'on lui disait la vérité.

À nouveau sur le pont, il demanda à connaître les raisons qui expliquaient l'absence d'identification du navire. Le commandant qui avait la répulsion du mensonge, hésita quelques secondes avant de répondre. Son hésitation pouvait sembler louche mais il ne savait que dire sans mentir. Il pensa à la vie de ses hommes et était tout à fait conscient du danger qui les menaçait. Il prie donc sur lui d'inventer une fausse vérité.

— J'ai camouflé l'identification afin de ne pas attirer l'attention des navires de guerre alliés et ainsi livrer cette marchandise dans le plus grand secret à un pays ami de l'Allemagne.

— Pourquoi faites-vous cela pour un pays ennemi du vôtre, demanda le jeune capitaine ?

— Je suis d'avis que les motifs de votre guerre sont justes. Il y a beaucoup de gens qui pensent comme moi et qui ne peuvent pas le dire. J'ai été bien payé pour faire cette livraison et mes hommes également.

Le jeune capitaine ne savait que penser. Cette histoire était surréaliste mais il n'avait rien trouvé dans les cales. Il informa le commandant qu'il allait faire rapport à l'amiral et lui demanda de demeurer sur place.

L'attente fut longue. Finalement, le capitaine revint sur le pont du navire admiral et lui fit signe de poursuivre sa route.

La guerre se termina et il continua à naviguer sur tous les océans.

Voilà plus de vingt ans qu'il naviguait et pas une seule lettre de son père. À quelques reprises, il lui fit parvenir un télégramme pour lui donner quelques nouvelles et indiquer le moyen de le joindre. Rien. Il savait que sans une autorisation de son père, sa mère ni ses frères et sœurs n'oseraient le contacter.

Cette disgrâce le chagrinait beaucoup. Tout au long de ces années, la scène de la valise remise sans un mot de son père le poursuivait et le hantait.

Maintenant que la guerre était terminée et que toute la famille savait qu'il avait navigué dans les eaux les plus dangereuses pendant ces années, il décida de faire une dernière tentative pour contacter son père.

Il lui fit donc parvenir un télégramme lui indiquant le moment où son navire serait accosté au port de Montréal.

Deux semaines s'étaient écoulées et toujours pas de nouvelles de son père. Il commençait à désespérer lorsqu'une fin d'après-midi on lui fit savoir qu'un personnage assurément important voulait le voir.

Il regarda par le hublot de sa cabine et y aperçut son père habillé d'un beau costume clair. Il s'empressa de revêtir son costume officiel de commandant, celui-là même qu'il portait pour souligner la fin de la guerre. Il n'était pas question qu'il se présente devant le paternel sans la possibilité de rivaliser dans ses apparats, sachant toute l'importance que celui-ci y accordait. Lorsqu'il arriva devant son père, celui-ci faillit ne pas le reconnaître. Il n'était plus ce jeune insolent mais un homme que la mer avait façonné et coloré le visage d'un embrun d'une rare beauté. Les doutes s'estompèrent rapidement lorsqu'il reconnut en cet homme la démarche souple et ondulée de sa femme. Alors un léger sourire apparut dans ses yeux. Lui tendant la main, il dit :

— Je ne sais ce qu'il convient d'utiliser en pareil moment.

— Mais que voulez-vous dire, lui demanda le commandant?

— Et bien je ne sais si je dois utiliser le tu ou le vous pour m'adresser au personnage important qui se trouve devant moi.

— Avec mes enfants, en toutes circonstances, j'emploierais le tu.

Il venait de comprendre que son père avait changé d'opinion à son sujet, que de fils ingrat, il était devenu un héros.

Ils passèrent l'après-midi ensemble. Il lui raconta toute son histoire et principalement les événements dangereux qui se déroulèrent pendant la guerre. C'est à ce moment qu'il reconnut le regard fier de son père lorsqu'il le regardait avant de connaître ses intentions de devenir marin. Le navire fut visité dans ses moindres recoins et jamais il n'avait vu son père si loquace. Il posa mille questions. Il voulait tout comprendre. Il réalisa à ce moment-là que cette curiosité et ce besoin de comprendre qui l'habitaient était l'héritage de son père et que c'est cette intelligence qui lui permit de réaliser son rêve de devenir marin. Ils se quittèrent le cœur léger. Quelques jours plus tard, il reçut un télégramme de sa mère. Voici ce qu'il disait :

— Bonjour cher fils. Ton père de retour après trois jours. S'est arrêté chez tous les membres de la famille. Leur a raconté ton histoire. Maintenant, il est heureux. Quand viens-tu nous voir?

Avec empressement, il lui répondit:

— Dans trois jours à 15 heures. Un grand navire passera à la hauteur de la résidence familiale. La sirène, 4 fois retentira. Je vous embrasse.

Au moment de faire entendre la sirène, il monta sur le pont avant afin d'y apercevoir quelques membres de sa famille. Un sentiment troublant l'assaillit. Il eut l'impression qu'il s'agissait de son dernier voyage. Il ne savait pourquoi.

(Fort heureusement, grand-père entendit la sirène de mon ventre. J'étais mort de faim et j'avais les oreilles pleines de mots qui voulaient s'enfuir faute d'un peu de repos. Demain, même heure, furent ses derniers mots).

Chapitre Quatre : La belle

Pas un jour ne passait sans que des images d'horreur ne viennent hanter son esprit. Sa mémoire était incapable de les retirer de l'espace qu'elles occupaient depuis les dix dernières années. Avant ces événements tragiques, elle vivait plutôt paisiblement avec ses parents. Ils habitaient un petit appartement sis en plein centre ville d'Oostende, chef-lieu d'arrondissement de la Flandre Occidentale, sur la mer du Nord.

Sa famille s'adonnait au négoce depuis des générations, depuis si longtemps que personne aujourd'hui n'avait souvenir de l'année d'ouverture de la première échoppe. Tous les jours de la semaine, sauf celui du Sabbat, étaient réservés aux affaires du commerce familial.

Le paternel espérait un garçon comme premier enfant pour prendre la relève. Qu'elle ne fut pas sa surprise d'apprendre de la bouche de la sage-femme qu'il s'agissait d'une fille. Quelques années furent nécessaires pour accepter un temps soit peu ce déni de la destinée. Quel avenir pour cette fille, se disait-il ?

La mère quoique triste pour son mari n'éprouvait pas les mêmes sentiments. Au contraire, elle était reconnaissante d'avoir pu donner naissance. Depuis plusieurs années, les tentatives étaient vaines. Tous étaient convaincus de sa stérilité, véritable malédiction. Donner naissance était une bénédiction, double si le premier à naître était un garçon.

L'accouchement fut très difficile. Après quelques semaines de retard, le bébé s'acharnait à demeurer dans le ventre de sa mère. Beaucoup plus tard : certains dirent que cet enfant savait ce qui l'attendait et n'était pas pressé de naître. Au sortir de la chambre, la sage femme prévint le mari en ces termes :

— Vous devriez envisager de vous limiter à cette seule naissance.

— Pourquoi donc ?

— Votre femme ne supporterait pas un deuxième accouchement. Soit elle, soit l'enfant en mourrait. Si l'enfant meure, votre femme ne s'en remettrait pas et si c'est elle qui meure, c'est vous qui auriez mal.

Le pauvre homme ne voulait rien entendre. Non seulement, le premier enfant était une fille mais on lui disait qu'il valait mieux ne pas en avoir d'autre. Il resta silencieux pendant plusieurs semaines. Fort heureusement les frères et sœurs du malheureux père vinrent en renfort pour s'occuper du commerce.

Après une première semaine, voyant que la situation demeurait inchangée, on demanda au rabbin de venir lui parler pour tenter de le ramener à la raison. Plusieurs visites furent nécessaires. À la première, le père persista dans son mutisme en présence du saint homme. Pas un son n'était encore sorti de sa bouche depuis la naissance.

Le rabbin, reconnu pour sa patience, la perdit à la quatrième visite. Bien que compatissant au chagrin du père, il ne pouvait plus tolérer ce comportement digne d'un ingrat envers le Seigneur.

— Vous rendez-vous compte que c'est l'orgueil qui vous muselle et non plus le chagrin ? Vous êtes un homme de bon sens, pensez à votre famille. Pensez à cet enfant qui vient de naître et que vous avez l'obligation morale de conduire sur le droit chemin. Si vous le rejetez comme vous le faites, il est bien capable de vous imiter et de rejeter à son tour et en temps venu ce qui est le plus important pour notre communauté ; notre religion et le respect de ses lois.

C'est alors que le malheureux père leva les yeux, les tourna en direction du rabbin et lui déclara :

— Rabbin, j'ai bien entendu vos paroles. Je ne discuterai pas avec vous des sentiments que vous me prêtez. Je vais reprendre le cours de mes activités mais jamais je ne pourrai me faire à l'idée que le sang de mon sang ne coulera pas dans les veines d'un garçon.

Le rabbin s'en retourna, insatisfait de la réaction du père car il savait bien que le nouveau-né serait considéré toute sa vie comme un indésirable et que ce sentiment habiterait l'enfant qui, inlassablement, en chercherait l'origine. Tout serait alors possible : le reniement de sa foi, pire l'adhésion à des croyances vides de tout sens. Le rabbin considérait avoir fait son devoir, il ne pouvait rien de plus sinon prier pour ramener le père à la raison.

Malgré les plus belles prières du rabbin, rien n'y fit. Le père se comporta avec son enfant comme il le faisait avec la clientèle de son magasin : poli et sans effusion de paroles inutiles.

Les années passèrent et l'enfant grandit en silence. Fort heureusement que sa mère ne l'abandonna pas à la seule présence du père. Celui-ci n'était plus le même. On avait l'impression qu'il vivait dans un autre monde. Son regard, autrefois si pétillant, était maintenant terne et sans âme.

Le sentiment de culpabilité ressenti par la mère était double : celui d'avoir donné naissance à une fille comme premier enfant et celui de ne plus pouvoir enfanter. Quelle tristesse pour celle qui, dès son plus jeune âge, aspirait à devenir la mère d'une ribambelle d'enfants et grand-mère de petits-enfants encore plus nombreux.

Très jeune, la petite avait compris l'humeur de ses parents, en avait pris la mesure et décidé de réduire ses bruits au minimum. À toutes les questions, elle répondait avec intelligence et concision.

Un jour le rabbin, pour vérifier le sentiment qui habitait ce bel enfant, lui demanda :

— Dis-moi, en toute sincérité, que sais-tu de Dieu ?

— Ce que le livre saint m'en a appris et plus encore.

Surpris, le rabbin demeura bouche bée pendant quelques secondes.

— Mais de quoi parles-tu ? Tout est dans le livre saint. Toute la nature de Dieu y est révélée !

— Vous avez raison, rabbin. Mais je suis d'avis que le livre saint peut être lu de deux manières différentes, chacune étant complémentaire de l'autre.

Le pauvre rabbin était désemparé. Se faire ainsi répondre par une jeune fille aux airs innocents n'était pas habituel et le prenait au dépourvu. Fort heureusement, il n'y avait personne aux alentours pour entendre leur conversation mais il ne pouvait clore la discussion sur cette note. Comme sa foi était plus grande que sa potentielle ignorance, il risqua une autre question.

— Veux-tu m'expliquer le sens que tu donnes à cette affirmation : de deux manières différentes ?

La jeune fille se rendant compte de la polémique possible qu'elle risquait de provoquer si elle répondait à cette question par les objets de ses propres réflexions décida de se montrer prudente.

— Vous connaissez sûrement celui qu'on appelle *Ysaac l'aveugle*, fils du très grand *Abraham Ben David de Posquières*, qui soutient qu'il appartient à l'homme d'agir par les prières et l'observation des commandements sur la partie du Divin où existe une certaine tension dualiste ! La dualité et deux manières différentes de lire sont une seule et même chose. Voilà le sujet de mes réflexions.

Le rabbin, percevant chez cette jeune personne une grande capacité de dialectique, convint en son for intérieur qu'il valait mieux se satisfaire de cette réponse. Sa réplique risquait d'être entendue par le père de la jeune fille et ainsi réveiller des sentiments jusqu'à aujourd'hui bien maîtrisés.

Bien avant le rabbin, la mère avait détecté chez sa fille une intelligence et une curiosité que l'on prêtait habituellement aux garçons. Elle aida sa fille de toutes les manières possibles. Sans en informer son mari, elle lui procura plusieurs livres traitant de la Qabalah et plusieurs autres racontant les histoires des différents peuples ayant vécu sur terre. Parmi tous ces sujets, l'archéologie l'attirait particulièrement. Malgré son jeune âge, elle avait acquis la certitude que des écrits anciens et très révélateurs de la réalité divine demeuraient encore enfouis. Cette certitude fut un élément important qui contribuera à faire d'elle une archéologue réputée.

Nous étions à la veille du déclenchement des hostilités de l'Allemagne envers ses voisins. Le 2 août 1914, les troupes allemandes franchissaient la frontière luxembourgeoise. Ce même jour, le ministre d'Allemagne à Bruxelles remettait un ultimatum qui n'était que pur chantage : «laisser passer ou la guerre». Le 4 août, le roi Albert, en tenue de campagne, déclarait devant les Chambres réunies : «un pays qui se défend s'impose au respect de tous : ce pays ne périt pas».

Oostende, pour sa situation stratégique capitale, fut rapidement asservie par l'Allemagne qui y installa un état-major important.

La ville fut visitée de fond en comble afin d'y déceler tous les ennemis possibles du Kaiser. La famille de notre future archéologue fut mise sous haute surveillance comme plusieurs autres familles de même origine. Plusieurs racontaient que l'ennemi public numéro un du Kaiser était tous les Juifs et leurs sympathisants et que la guerre était un prétexte pour les éliminer. C'est ainsi que plusieurs familles planifièrent de prendre la fuite vers une région plus clémente et moins potentiellement dangereuse. Alors, on organisa une expédition pour se rendre en Angleterre, pays ami de la Belgique et à l'abri de l'envahisseur allemand. La famille de la belle enfant se joignit à ce premier groupe.

Mal organisé, mal guidé, le groupe fut pris à partie par des résistants pro-allemands. Les parents de notre jeune fille périrent pendant l'embuscade et elle fut prise en charge par le groupe ou ce qu'il en restait. Moins de la moitié des partants purent se rendre en Angleterre sains et saufs.

En Angleterre, la famille d'un parent éloigné, mise au courant de la situation, délégua rapidement le fils ainé pour rencontrer cette jeune belge aux yeux bleus, phénomène d'exception dans cette communauté.

Maintenant âgée de quinze ans, elle comptait bien se construire enfin une vie à la mesure de son aspiration. La perte de ses parents lui causa une douleur intense qu'elle ne voulait pas renier sous prétexte des années difficiles vécues avec eux. Rien n'importait plus que la famille. L'accueil reçu en Angleterre en était une preuve flagrante.

La poursuite des études académiques n'étant pas envisageables pour le moment, elle consacra toute son énergie à l'apprentissage de la langue anglaise. Tous furent surpris de la facilité avec laquelle, en quelques mois, elle obtint des résultats spectaculaires. Elle pouvait lire des œuvres poétiques et les commenter avec bon sens.

Sa famille d'adoption remarqua rapidement son talent pour l'apprentissage des langues et il n'était pas question de laisser se gaspiller une si belle intelligence. Le grand oncle lui proposa donc de se mettre à l'étude des langues anciennes, ce qu'elle fit avec grand plaisir. Elle entreprit l'apprentissage du sanscrit et de l'araméen, deux langues qui possédaient en leur sein les origines du monde et qui, elle l'espérait, pourraient lui révéler les secrets de la double nature humaine.

Archéologue elle voulait devenir, archéologue elle devint. Après la guerre, elle débuta les études à l'université d'Oxford et elle obtint son premier diplôme en 1925.

Étudier l'archéologie était bien, très bien pour une personne qui pouvait se satisfaire des propos et recherches attribuables aux autres. Mais celle qui ressentait le besoin de connaître l'inconnaissable, de découvrir quelques secrets encore à l'abri des humains devait faire plus.

Dès l'été de cette même année, elle put se joindre à un groupe de chercheurs en partance pour l'Inde. Sa présence était appréciée car sa maîtrise du sanscrit serait mise à contribution.

Quoique l'Inde fut une colonie anglaise, vouloir y séjourner à cette époque présentait quelques dangers pour des Britanniques, qu'ils soient professeurs ou pas. Le mouvement indépendantiste du Mahâtmâ Gândhi bien que pacifique suscitait chez certains groupuscules activistes des actions qualifiées de terroristes par les autorités britanniques. Le danger était réel mais pas suffisant pour effrayer notre jeune archéologue qui avait connu pire. De plus, elle savait qu'elle ne risquait pas d'être prise à parti pour ses origines juives, l'Inde était réputée pour sa tolérance à l'égard de tous les chercheurs de Dieu. C'était d'ailleurs pour cette raison qu'elle décida de partir plus tôt que ses collègues. Elle avait l'intention de visiter quelques lieux du sud avant de rejoindre ses collègues plus au nord. Parmi ces lieux, il en est un qui attirait particulièrement son attention plus que tout autre. Elle était convaincue d'y découvrir une explication aux propos de *Ysaac l'aveugle* sur la tension dualiste au sein du Divin.

Un navire marchand en transit au port embarquait des marchandises avec pour destination Madras en Inde. Elle demanda à rencontrer le commandant. On lui avait dit qu'il s'agissait d'un canadien bien éduqué et qu'il lui arrivait à l'occasion d'accepter des passagers.

Habituellement, c'étaient des hommes qui lui faisaient des demandes semblables pour des destinations situées en mer Méditerranée et rarement pour le golfe du Bengale. À ce jour, c'était la première fois qu'une femme, jeune et seule, demandait une place sur son bateau.

Chapitre Cinq : En route pour Madras

Malgré la singularité de la situation, le commandant accepta de prendre à son bord la jeune femme. Il lui attribua la plus belle des cabines. Elle serait la seule passagère pour ce trajet qui les amènerait à Madras avec un arrêt à Barcelone pour compléter le chargement. Au total, quatre semaines seraient nécessaires pour arriver à destination.

Jusqu'à ce jour, notre commandant n'avait pas eu très souvent l'occasion de s'entretenir avec des femmes. Il serait plus exact de dire que ce serait la première femme avec qui il partagerait son intimité depuis qu'il naviguait, car seuls les hommes étaient autorisés à occuper un poste sur les navires au long cours.

Notre jeune passagère avait bien perçu chez notre commandant, malgré toute l'assurance que pouvait lui conférer son grade, un malaise dont elle ne pouvait encore identifier l'origine.

(Je ne sais pas ce que je vais faire d'elle pendant tout ce trajet. Est-ce que je vais l'éviter ou l'inviter dans ma cabine pour prendre les repas ? Est-ce une femme qui a l'habitude des hommes ? Cherche-t-elle l'aventure d'un soir ? Je n'aurais pas dû accepter de la prendre comme passagère. De quoi peut-on discuter avec une femme lorsque l'on a passé sa vie sur un bateau ?)

Toutes ces pensées lui traversaient l'esprit pendant que sa passagère montait ses bagages sur le pont.

— Je ne vais sûrement pas encombrer votre navire avec mes bagages. Comme vous pouvez le constater, j'en ai peu.

En effet, une valise et un sac à main étaient ses seuls effets. Son sens de l'humour surprit le commandant, si bien sûr elle avait voulu être humoristique. Pas de sourire ni dans les yeux ni sur les lèvres lorsqu'elle prononça cette phrase.

— On pourrait penser que votre séjour à Madras ne sera pas très long !

— Au contraire, je compte bien séjourner en Inde pendant plusieurs mois. Je devrai me déplacer très souvent et c'est pourquoi je n'ai pas voulu m'embarrasser avec des bagages excédentaires. Je me débrouillerai avec ce que j'ai.

— Très bien madame. Nous quittons le port demain de très bonne heure. Comme vous n'êtes pas un membre de l'équipage, vous pouvez passer votre dernière nuit sur la terre ferme si vous le désirez.

— Je ne voudrais surtout pas manquer le départ. Je passerai volontiers cette dernière nuit dans ma cabine. Ce sera l'occasion d'apprivoiser son environnement avant de me faire bercer par les vagues.

— Bien. Mais avant de partir, je me dois de vous prévenir que notre cuisinier n'a pas l'habitude de préparer des repas pour les femmes. Il cuisine suivant son humeur et les réserves disponibles. Quelquefois, il nous sert des plats indescriptibles qu'on ne retrouve dans aucun livre de recettes.

— Ne vous inquiétez pas pour moi. J'ai l'habitude des recettes folkloriques.

— J'ai une autre mise en garde à vous faire. Comme je vous l'ai mentionné, vous êtes la première femme que nous accueillons comme passagère et il n'y a que des hommes sur ce bateau. Je vais les prévenir de se comporter en gentleman. Mais vous constaterez qu'ils sont d'origines ethniques différentes donc susceptibles d'adopter des comportements tout aussi dissemblables à votre égard.

— Ne vous inquiétez pas. Je saurai ce qu'il convient de faire si cela se présente.

Avec ces premières discussions, elle avait pris toute la mesure de la timidité du commandant envers les femmes. Loin de l'effrayer, cela la rassura. Mieux valait un homme timide qu'un matamore qui se croirait tout permis. Mais cela présentait un inconvénient majeur. Elle risquait de moisir dans sa cabine si elle ne prenait pas l'initiative.

— Il est bien possible que vos hommes soient un peu rustres, mais ce n'est certainement pas votre cas. Nous pourrions profiter de cette cohabitation pour mieux nous connaître. Je suis une personne très curieuse qui s'intéresse à tout. Si vous êtes d'accord, vous pourriez me raconter l'histoire de votre navire !

Il n'en fallait pas plus pour revigorer notre commandant. Raconter des histoires, il adorait ça. L'idée de faire connaissance en racontant une histoire lui plaisait. Il accepta avec plaisir. Elle était satisfaite. L'esquisse d'un sourire s'était enfin dessinée sur ses lèvres.

(Malgré mon jeune âge d'auditeur, grand-père sait très bien que je me questionne sur la suite. Alors, contrairement à son habitude, il interrompt le fil de son histoire et m'interroge sur le déroulement que j'envisagerais. Surpris, je ne sais que répondre. Une réponse intelligente serait la bienvenue mais pas l'ombre d'une suggestion intéressante ne me vient à l'esprit. Alors, je prends le risque de lui dire qu'une attaque de pirates serait fort intéressante, que ce serait là une occasion de faire valoir tout le caractère du commandant. Il hoche la tête en me disant que voilà bien une suggestion digne d'un garçon de mon âge mais il faut que je sache que l'époque de la piraterie est révolue. Alors si tu n'as rien d'autre à suggérer, je poursuis, me dit-il.)

Le premier soir, le commandant et la belle prirent leur repas du soir dans leur cabine respective. Il n'avait pas voulu rejoindre ses hommes comme il le faisait habituellement pour le repas du soir. Il savait que cela les ferait jaser mais il avait besoin d'un peu de solitude pour réfléchir à son avenir avec cette jeune femme. Il n'avait jamais vu une femme aussi jolie. Avec ses cheveux noirs et ses beaux yeux bleus, elle lui avait porté un coup au cœur. Il en était chaviré. C'était la première fois qu'il éprouvait un tel sentiment. Durant toutes ses années de navigation, il avait vu bien des femmes dans différents pays, mais jamais il n'avait rencontré une femme de la qualité de celle qui l'accompagnerait pendant quatre semaines.

Il ne savait encore rien d'elle. Qui était-elle ? Que faisait-elle seule sur son bateau ? Serait-il possible pour un homme de vivre une vie avec une femme aussi émancipée ?

La tête lui tournait. Il ne termina pas son repas. D'ailleurs, encore une fois, le cuisinier avait fait des siennes : les ingrédients de la gibelotte qui remplissait son assiette n'étaient pas identifiables. Il soupçonnait un coup monté du cuisinier qui voulait décourager la belle étrangère de s'embarquer. Il espérait sûrement qu'elle change d'idée et qu'elle renonce. Il craignait peut-être que le commandant lui demande de préparer des plats précieux et cette seule idée le faisait frissonner de colère. Il accepta, il y a plusieurs années, de s'embarquer comme cuisinier à une seule condition : être seul maître de la cuisine. Pendant que notre commandant réfléchissait à son avenir, la belle mangeait avec appétit. Elle adorait le repas qu'on lui servit et le dégusta jusqu'à la dernière bouchée.

Il n'était pas question pour elle de laisser le commandant lui faire la cour. Elle avait trop à faire pour se laisser distraire par l'amour d'un homme, si sensible soit-il. Elle ne savait pas si elle lui ferait connaître ses intentions dès leur prochaine rencontre ou bien si elle laisserait le commandant tenter quelques initiatives. Malgré sa réserve, elle lui trouvait un charme qu'elle n'avait pas observé chez les hommes qu'elle avait côtoyés à ce jour. Elle était consciente des dangers que pouvait présenter la situation mais elle aimait prendre des risques.

Pendant la première semaine, plusieurs urgences se présentèrent empêchant le commandant de prendre ses repas à heure fixe. C'est à peine s'ils eurent un moment pour se voir quelques minutes, le temps pour lui de s'informer du bien-être de sa passagère.

Le calme était revenu sur le navire, le commandant invita enfin la belle à partager son repas du soir. Elle attendait cet instant depuis plusieurs jours. Elle avait observé beaucoup de mouvements sur le bateau mais elle n'avait pas osé s'informer des raisons de tout ce va-et-vient et personne n'avait cru bon lui expliquer. Elle en était arrivée à penser que le commandant employait cette stratégie pour la faire languir et cela ne lui plaisait guère.

La cabine était petite pour le seul maître à bord après Dieu. Bien que propre, il se dégageait une odeur qui indisposa fortement l'invitée. Le commandant avait l'habitude de fumer une pipée après le repas du soir. Il disait que cela le détendait et facilitait la digestion des plats improvisés par le cuisinier.

— Cher commandant, je suis bien contente de pouvoir enfin passer une heure ou deux en votre compagnie.

— Je vous remercie de votre amabilité et je vous prie de m'excuser d'avoir tant tardé à vous inviter. Nous avons éprouvé quelques difficultés de logistique qu'il nous fallait régulariser avant de quitter la mer du Nord.

Elle décida de ne pas parler de cet inconfort dès le premier soir. Elle ne voulait pas indisposer indûment le commandant, ni l'offusquer car après tout, il était dans ses quartiers. Elle craignait qu'il ne veuille plus l'inviter.

Ils étaient installés l'un en face de l'autre. Il était ébloui par l'éclat de ses yeux. Il n'arrivait pas à détacher son regard du sien. Elle en ressentit un malaise indéfinissable. C'était la première fois qu'un homme la regardait avec autant d'intensité sans la lueur d'un jugement quelconque.

— Savez-vous commandant que mes origines sont juives et que pour plusieurs les juifs sont de trop sur cette terre ?

Elle aurait pu faire une introduction un peu plus douce mais elle voulait dès ce moment clarifier cet état des choses.

— Voilà donc ce qui explique le mystère que reflète votre regard, répliqua le commandant avec galanterie! Pour vos origines, ne soyez pas inquiète.

Nous avons sur ce bateau des représentants de toutes les religions et nous arrivons très bien à vivre ensemble.

Enfin, la discussion était lancée se dirent-ils tous les deux.

— Dites-moi commandant, quel plaisir éprouvez-vous à voyager ainsi d'un port à l'autre ?

— Je ne le fais pas par plaisir mais par nécessité. Je vous explique. Lorsque j'étais enfant, j'éprouvais beaucoup de difficultés à marcher sur la terre ferme comme tous les membres de ma famille. Je n'arrivais pas à conserver mon équilibre en position debout et je devais me traîner par terre pour me déplacer.

— Ce devait être horrible ! En est-il encore de même aujourd'hui lorsque vous foulez la terre ferme ?

— Maintenant, cet état me fait tituber. Aussi étrange que cela puisse paraître, je ne ressens pas ce malaise lorsque je navigue.

— J'imagine que vous avez consulté un médecin afin de connaître l'origine de ce mal ?

— Non, pas du tout. Je crains que l'on veuille m'enfermer dans un institut psychiatrique.

— Mais pourquoi vouloir vous interner pour ce genre de malaise ? Ce n'est pas une maladie mentale.

On frappa à la porte du commandant !

Il donna l'autorisation d'entrer mais la porte demeurait close. Après quelques instants, il se leva et ouvrit lui-même. C'était le cuisinier qui apportait le plat principal. Il semblait de très mauvaise humeur.

— Faudra pas vous en prendre à moi si c'est froid. Ça fait dix minutes que j'attends en avant de la porte votre permission d'entrer. Je n'ai pas que ça à faire. Les hommes attendent leur repas et ils sont affamés.

Le commandant présenta ses excuses et promit que cela ne se reproduirait plus. Il ne comprenait pas qu'il ait pu être si inattentif. Sur un bateau, il est impératif de tout entendre. Le moindre bruit peut être annonciateur d'un danger.

Le cuisinier déposa les assiettes et demanda s'il lui serait nécessaire de servir un dessert. La belle répondit la première qu'elle n'en désirait pas. Le commandant ajouta qu'il en était de même pour lui.

Sans qu'il y paraisse, une complicité commençait à s'installer et tout observateur quelque peu averti, aurait constaté un climat de détente rafraîchissant en lieu et place de la grande nervosité qui les habitait depuis le départ.

— Maintenant que j'ai répondu à quelques-unes de vos questions, je vous demanderais la réciproque.

— Avec plaisir commandant. Je me ferai une joie de vous révéler un peu qui je suis. Mais avant de vous en dire plus, depuis notre départ, je m'interroge sur la nature de votre cargaison. Vous est-il possible de m'en informer ?

— Voilà une demande que je ne puis satisfaire. Mon équipage et moi sommes tenus à la plus grande discrétion sur la nature des marchandises que nous transportons. Sachez simplement qu'elles sont de la plus grande importance pour les autorités anglaises et qu'elles ne doivent pas tomber en de mauvaises mains.

Il n'en fallait pas plus pour piquer la curiosité de la belle. Il n'était pas question qu'elle accepte cette réponse. Toutes ces années d'études en archéologie avait exacerbé sa soif de savoir et elle était prête à prendre les risques nécessaires pour y arriver. Même si la connaissance de la nature des marchandises transportées n'avait pas vraiment d'importance, son instinct de chercheure était plus fort que tout. Elle décida de ne pas insister face à la détermination du commandant et ne voulut pas l'indisposer davantage afin de satisfaire sa curiosité. Elle avait sa petite idée. D'un signe de la tête, elle invita le commandant à poursuivre.

— Alors dites-moi, pourquoi voulez-vous vous rendre à Madras ?

— Une autre question que celle-là aurait été surprenante. Je dois vous avouer que les raisons qui motivent ce voyage sont multiples. Je vous ai dit que je suis archéologue donc cela implique de se rendre sur le terrain pour effectuer des fouilles. J'accompagne des chercheurs émérites de l'université d'Oxford qui ont identifié un site au nord du pays. Ils espèrent y trouver des textes anciens datant de mille ans avant notre ère. Ces écrits relateraient une histoire de la création du monde jusqu'ici inconnue.

— Mais pourquoi Madras qui est au sud ? Et pourquoi êtes-vous seule à voyager ?

— Personnellement, je caresse le projet d'une autre recherche et je pense que je pourrai trouver des indices à Madras. Je suis seule parce que j'ai quitté avant mes confrères que je rejoindrai dans quelques semaines à Badrinath. Ils ne sont pas concernés par le sujet de ma recherche.

— Savez-vous qu'il peut être dangereux pour une femme seule de circuler en ce pays ? Les informations que j'ai reçues avant de partir m'indiquaient que le climat social est tendu et que des précautions élémentaires doivent être prises par les étrangers qui veulent se déplacer à l'intérieur du pays.

— Je sais. On nous a transmis des informations semblables en apprenant que notre groupe projetait de se rendre en Inde. Ne soyez pas inquiet.

— Il se fait tard madame. Je vous propose de reprendre notre conversation demain soir.

— Je ne voulais pas abuser de votre temps commandant. J'accepte votre invitation pour demain. Bonne nuit.

— Bonne nuit madame.

(Notre commandant est certainement un couche-tôt. Il est à peine 21h et le voilà déjà fatigué. Ou bien craindrait-il la suite de notre entretien ? J'aurais du accepter de prendre le dessert, cela nous aurait laissé plus de temps. Je l'aime bien cet homme. Il est bien éduqué et d'une grande gentillesse. J'en suis à penser, malgré ce qu'il prétend avoir comme handicap, qu'il n'est pas normal qu'un homme de cette qualité consacre sa vie à naviguer...)

Voilà ce que pensait notre belle en s'en retournant à sa cabine. Elle ne voulait pas encore se l'avouer mais le commandant lui plaisait beaucoup et moins de trois semaines encore en sa compagnie lui paraissaient insuffisantes pour mieux le connaître.

Comble de malheur pour elle, le lendemain midi, le commandant se désista. Il lui fit savoir qu'un bris important requérait sa présence. Plus d'une semaine s'écoula avant qu'ils puissent à nouveau prendre leur repas du soir ensemble.

Elle ne savait plus que faire de tous ses temps libres. Le jour, ça allait, elle pouvait déambuler sur les ponts du navire et admirer l'océan mais le soir ! Quelle tristesse que ces soirs où seules les étoiles acceptaient de lui tenir compagnie. Pour leur deuxième rencontre, elle lui demanda de venir la rejoindre dans sa cabine : elle se rappelait trop l'odeur de la pipe. Qu'importe ce que pourrait en penser les matelots, ils en avaient certainement vu d'autres.

Il accepta mais non sans surprise. Il comprenait mal ce qui pouvait la motiver à poser un tel geste. Elle ne ressemblait aucunement à ces femmes que l'on qualifiait de facile et pourtant… il devait s'avouer qu'il la trouvait très entreprenante.

Il se présenta donc à la cabine de la belle à 19h précise. Elle l'attendait avec impatience.

— Vous m'avez manqué commandant, lui lança-t-elle.

Il fit semblant de ne rien entendre et poursuivit par une question anodine.

— Bonsoir madame. Suis-je en retard ?

— Pas du tout. Voyez. J'ai déplacé quelques meubles pour nous faire un peu plus d'espace.

— Vous avez bien fait. Si un jour une autre passagère devait se joindre à nous, je verrai à faire aménager sa cabine ainsi que vous l'avez modifiée.

Le repas était en cours depuis trente minutes et ils ne s'étaient rien dit d'intéressant encore.

— Commandant, vous allez certainement me trouver curieuse, trop curieuse peut-être. Vous me disiez que naviguer atténuait vos étourdissements mais, est-ce une raison suffisante pour passer sa vie sur l'eau ?

— Il est vrai que cela peut sembler étrange…

Il allait poursuivre mais suspendit la suite de sa phrase, le temps de se convaincre qu'il pouvait lui faire confiance (elle me semble une femme d'une grande intelligence malgré son jeune âge et de toute manière, encore quelques semaines et elle disparaîtra pour toujours de ma vie. Lui confier mon secret ne pourrait que me soulager).

— … mais, je vous l'accorde, ce n'est pas une raison suffisante pour naviguer toute sa vie. Avec le temps, j'ai appris à maîtriser de manière satisfaisante mes déplacements sur la terre ferme.

Il y a de cela très longtemps, avant même de savoir parler, une musique mélodieuse parvenait à mes oreilles. J'en cherchais la provenance et je ne la trouvais pas. J'avais compris très tôt que le seul moyen d'obtenir une réponse à mon questionnement était d'apprendre à m'exprimer comme les grands. De mes frères et sœurs celui qui, avant tous les autres, apprit à parler, ce fut moi. Le jour arriva donc où je pus enfin demander d'où émanait cette musique. Personne ne l'entendait, sauf moi. Tous croyaient que j'étais doué d'une intelligence supérieure. Dès lors leur admiration décrût. Vous comprendrez que je n'ai pas insisté très longtemps sur le sujet. Je ne voulais pas qu'on me croit fou.

— C'est épouvantable ce que vous me dites là ! Et cette musique, avez-vous trouvé son origine ?

Notre commandant hésita avant de répondre. La seule personne à avoir reçu cette confidence était le jeune voisin devenu son meilleur ami. Lui aussi était un peu étrange. Se confier à lui avait été sans risque.

Mais cette femme assise en face de lui semblait en possession de tous ses moyens et nettement plus sensible que la majorité des gens à qui il pourrait se confier. Penserait-t-elle qu'il est fou ou trop bizarre ? Il était encore temps d'inventer une histoire plausible. Il demeura indécis quelques instants et puis décida d'aller jusqu'au bout de son histoire.

— Il est exact que j'entends encore cette musique et je n'ai pas trouvé sa provenance. Au début, je croyais qu'elle surgissait du fleuve qui coule à quelques centaines de pieds de la résidence familiale mais un jour vint où je pus mettre les pieds dans l'eau de ce magnifique cours d'eau. La musique demeura. J'avais espéré qu'elle se dissipe mais ce ne fut pas le cas. Son volume a diminué me la rendant plus agréable à entendre. Et lorsque je retournai sur le rivage, elle retrouva son volume initial.

— Je n'ai jamais entendu une histoire aussi hallucinante.

— Vous devez penser que je suis fou, n'est-ce-pas ?

— Pas vraiment. Je vous accorde le bénéfice du doute pour l'instant. Les études que j'ai faites en archéologie m'ont préparée à entendre toutes sortes d'histoires abracadabrantes mais à la différence de la vôtre, ceux qui les racontent sont morts depuis longtemps. J'ai souvenir d'avoir lu dans un manuscrit ancien l'histoire d'une femme qui entendait des voix.

— Et qu'est-il advenu de cette femme ?

— Je l'ignore. Le manuscrit était incomplet. La seule autre information intéressante qu'on y a retrouvée disait que cette femme vivait en bordure d'une grande forêt et qu'elle y attendait un homme qui pourrait la délivrer de ces voix.

— Et bien madame, je crois que j'ai assez parlé pour une seule soirée. Je suis épuisé. Permettez que je me retire.

— Bien sûr commandant. Est-ce que nous nous reverrons demain soir ?

— Malheureusement non. Nous devons terminer de ranger le chargement que nous venons de prendre. Nous nous reverrons dans deux jours, lorsque nous serons à nouveau en mer. C'était là notre seule et dernière escale avant Madras.

Elle était bien contente que la discussion se soit terminée ainsi. Elle savait qu'il lui aurait fallu répondre à une ou deux questions délicates. Elle n'était pas vraiment prête à lui faire des confidences. Elle se montrait d'une grande prudence. Elle se rappelait la vie avant la guerre et tous les gens qui vivaient dans son quartier. Son père faisait confiance à tout le monde et un matin, il apprit qu'un voisin avait informé l'envahisseur de leur origine juive. Même si la guerre était terminée depuis longtemps, ce souvenir n'était pas encore mort. De son côté, le commandant éprouvait un profond soulagement. Enfin, il avait livré son secret. La musique était toujours présente mais il avait l'impression qu'elle était plus douce.

Plusieurs jours s'écoulèrent avant qu'ils puissent à nouveau entrer dans le monde des confidences. Jusqu'à aujourd'hui, elle n'avait pas osé se présenter à la cabine de pilotage parce qu'elle ne voulait pas déranger le commandant mais le temps avançait et elle était maintenant prête à lui faire confiance. Elle s'y rendit donc et comme elle s'apprêtait à frapper à la porte, celle-ci s'ouvrit.

— Je vous attendais madame. Vous êtes la bienvenue.

Elle ne se montra pas surprise par la réception du commandant. Ces derniers jours, elle avait acquis la conviction que cet homme ne présentait aucun danger pour elle. Au contraire, elle était maintenant convaincue de sa grande qualité et voyait même en lui un ami potentiel. Elle était également prête à répondre aux quelques questions qui étaient suspendues aux lèvres du commandant.

Mais avant de satisfaire la curiosité de celui-ci, elle avait elle aussi mille questions. Elle voulait tout connaître des instruments utilisés pour faire avancer cet immense navire. Il éprouvait un grand plaisir à répondre. L'atmosphère n'était plus la même. En lieu et place d'une politesse d'usage, une désinvolture s'installa entre nos deux héros. Ils se surprirent à rire ensemble de situations anodines. Ils respiraient le bonheur et la cabine en était pleine.

— Je suis contente d'être venue vous voir.

— Et moi je vous remercie d'être là. Votre visite me fait un grand plaisir. Je ne saurais expliquer ce qui se passe mais j'ai l'impression que nous ne sommes plus les mêmes depuis quelques minutes.

— Vous avez raison. C'est la première fois depuis fort longtemps que je me sens aussi bien. Je tiens à vous en remercier. Votre présence m'est d'un grand réconfort. Elle me réconcilie un peu avec le genre masculin.

— Vous me surprenez madame. On ne soupçonnerait pas chez-vous une antipathie à l'égard des hommes. Vous êtes pleine d'assurance et semblez n'avoir peur de rien.

— Si vous le permettez, nous poursuivrons cette discussion lors de notre prochain repas.

— Très bien. Alors ce pourrait être ce soir car pour les autres soirs à venir, il est peu probable que nous puissions manger ensemble. Nous sommes à quelques jours de Madras et préparer notre arrivée nécessitera toute mon attention.

C'est ainsi qu'ils se retrouvèrent quelques heures plus tard pour ce dernier repas. Pour les circonstances, elle avait décidé de porter des vêtements plus décontractés. Le commandant fit de même abandonnant son uniforme pour des vêtements civils. Tous les deux étaient conscients de la solennité du moment qui se préparait. L'un et l'autre avaient une décision capitale à prendre : allons-nous faire ce qui est nécessaire pour garder le contact et nous revoir un prochain jour ? La question demeura en suspens, ni l'un ni l'autre ne voulant y répondre, ils laissèrent le destin s'en occuper.

Elle concéda au commandant de le retrouver dans la cabine de celui-ci malgré l'odeur désagréable qui en imprégnait les murs. Il avait probablement deviné l'inconfort de la belle. C'est pourquoi il avait pris soin d'installer quelques chandelles odorantes qui répandaient un parfum suave et mélancolique. Intentionnellement, elle ne souligna pas cette précaution mais elle apprécia. Contrairement aux rencontres précédentes, celle-ci se tiendrait en toute quiétude. Il n'était plus question pour elle de faire preuve de réserve sur les sentiments qui l'habitaient depuis si longtemps. Elle avait enfin l'occasion de se confier espérant ainsi se délivrer un tant soit peu du ressentiment qui l'habitait depuis son enfance.

Dès son arrivée, elle voulut prendre l'initiative de leur discussion.

— Dites-moi commandant, avez-vous l'intention de voyager ainsi longtemps sur les mers ?

— En toute franchise, je l'ignore. J'espère un jour trouver la quiétude nécessaire pour arrêter mon voyagement et m'installer sur la terre ferme.

Mais vous madame, vous me semblez avoir une vie bien mystérieuse !

— Vous avez raison. Depuis mon enfance je suis obsédée par une seule question et c'est la recherche de sa réponse qui m'a poussée aux études en archéologie et qui m'amène à Madras.

J'ai réfléchi à ce que vous me disiez pour la musique que vous entendez et voici le fruit de ma réflexion : se pourrait-il que cette musique soit le moyen choisi par votre âme pour que vous vous lanciez à sa recherche ?

— Vous parlez comme mon ami d'enfance. Si cela était vraisemblable, pourquoi n'ai-je pas encore rencontré une seule personne qui soit prise du même embarras ?

— Votre ami a dû vous dire que l'âme choisit le moyen le plus approprié pour chaque personne, que certains appels sont plus insistants que d'autres et qu'il est impossible d'y échapper.

— Oui, il est exact qu'il m'en avait informé et, bien involontairement, j'avais souri à son allusion. Et pour vous, quel moyen votre âme a-t-elle choisi ?

— Elle m'a fait naître fille alors que mon père voulait un garçon.

J'ai étudié tous les livres saints des grandes religions pour comprendre et trouver une réponse.

— Une réponse à quoi ?

— Pourquoi le maître de la création a-t-il préféré l'homme au détriment de la femme ?

— Et vous croyez trouver réponse en Inde ?

— J'ai quelques indices qui m'indiquent que oui. Des textes anciens mentionnent que Thomas, le disciple de Jésus, aurait consigné par écrit les paroles du Christ. Ces textes laissent entendre que les propos de Jésus étaient tout à fait différents de ceux rapportés dans les évangiles canoniques.

— Pourquoi vous intéressez à Jésus ? Il était considéré comme un hérétique par les prêtres juifs de l'époque.

— Mais c'est justement parce qu'il était juif et de tous les juifs ayant vécus avant et après lui, il est probablement le plus grand. Voilà pourquoi ses paroles peuvent être importantes. Je pense que son âme lui a fait réaliser des choses extraordinaires et ces textes pourraient nous les révéler.

— Pardonnez mon impertinence mais je ne vois aucune raison de penser que le maître de la création a préféré l'homme à la femme.

— À vivre sur un bateau uniquement avec des hommes, je peux comprendre un peu votre ignorance de la réalité des femmes sur cette planète. Alors voici quelques indices pour vous aider dans votre réflexion :

Pourquoi les grandes religions accordent-elles une place plus importante à l'homme ?

Pourquoi les papes sont-ils des hommes ?

Pourquoi les présidents ou premiers ministres des pays sont-ils des hommes ?

Pourquoi certains hommes battent-ils leur femme en toute impunité ?

Pourquoi les pères préfèrent-ils la naissance d'un garçon à celle d'une fille ?

La colère de la belle était grande et de toute évidence le commandant ne pouvait répondre à toutes ces questions. Il n'avait jamais réfléchi à cette réalité des femmes. Il était hors de question d'avouer son ignorance.

— J'espère madame que vous trouverez réponse à vos nombreuses questions. Ce sont là des sujets qui peuvent intéresser au moins la moitié des habitants de la planète.

— Commandant, vous ajoutez l'insulte à votre ignorance. Ce sont tous les citoyens qui doivent être interpelés par ces questions.

Fort heureusement, le commandant avait appris à suffisamment apprécier la belle pour ne pas lui garder rancune pour ce dernier commentaire. Peut-être avait-elle raison, s'était-il dit !

La soirée était avancée et ni l'un ni l'autre ne voulait y mettre fin. Ce fut un marin qui se présenta pour requérir la présence du commandant à la timonerie.

— Vous allez devoir m'excuser madame mais je dois m'absenter. Sachez que nous accosterons dans deux jours et en conséquence, il est peu probable que nous puissions converser d'ici ce moment. Si c'est le cas, laissez-moi vous assurer de toute mon amitié et soyez certaine que le souvenir de votre séjour restera gravé pour toujours dans ma mémoire.

Elle ne voulut rien ajouter à ce moment de tendresse. Elle s'en retourna tout simplement à sa cabine pour y préparer ses bagages. Et maintenant qu'elle était sur le point de quitter, il était temps de s'enquérir de la nature des mystérieuses marchandises. Elle attendit que la nuit tombe et se rendit dans la cale du navire. Elle avait eu l'occasion, les jours précédents, d'y faire quelques incursions afin de mieux connaître l'environnement. Fort heureusement que son métier l'avait préparé à maîtriser la peur du noir et de tout ce qui pouvait s'y cacher.

Le navire quoique bien entretenu sur les aires fréquentées était laissé un peu à l'abandon dans les endroits isolés. Il y régnait une humidité extrême et des odeurs indescriptibles tant elles étaient fortes et nauséabondes. La belle, tenant une chandelle dans ses mains, entreprit sa descente dans les profondeurs du navire en prenant bien garde d'éviter la rencontre avec un marin ou un officier.

Lors de ses visites précédentes, elle avait remarqué que la cale était divisée en plusieurs compartiments bien distincts. Elle s'était dit que cela était utile pour assurer une meilleure stabilité au navire. Mais l'un de ces compartiments avait particulièrement attiré son attention. En effet, l'accès était protégé par une large porte en acier alors que les autres étaient libres de tout obstacle. Il ne lui en fallait pas plus pour décider de la direction à prendre.

La porte était lourde et plusieurs loquets en interdisaient l'accès. Péniblement, elle entreprit de les retirer un à un sans faire de bruit. Fort heureusement, la nature l'avait pourvue d'une force musculaire susceptible de rendre jaloux la moitié des hommes habitant cette planète. La chandelle était déjà bien avancée et elle n'avait pas encore réussie à pénétrer à l'intérieur. Il s'en faudrait de peu qu'elle doive s'en retourner bredouille. Elle décida de l'éteindre. Malgré la grande noirceur, elle avait acquis une connaissance de l'environnement immédiat qui lui permettait de poursuivre sans trop de difficulté.

Enfin, la porte s'ouvrit. Elle ralluma la chandelle et put s'approcher ainsi des nombreuses caisses empilées les unes sur les autres à une hauteur impossible à atteindre sans une échelle. Comment faire pour voir à l'intérieur de ces caisses sans les altérer ?

Elle ne savait que faire. Mais pas question d'abandonner si près du but. De toute façon, elle quitterait le navire sans laisser d'adresse alors qu'importe si une caisse était ouverte. Ces nombreuses caisses ne pouvaient renfermer un trésor car si cela avait été le cas, elles n'auraient pas été placées dans un endroit aussi insalubre. Non, ces caisses doivent contenir des marchandises importantes.

Avant de poursuivre, elle referma la porte pour ne pas attirer l'attention d'un marin effectuant une tournée d'inspection. La crainte d'être surprise était grande mais bien moins grande que celle d'un marin remettant en place les loquets.

Elle entreprit d'escalader à la manière des alpinistes en glissant ses pieds et ses mains dans les quelques espaces libres entre les caisses. C'est ainsi qu'elle arriva au sommet avec peine car elle ne pouvait à la fois gravir et tenir la chandelle pour éclairer son chemin.

Fort heureusement, elle avait pris la précaution d'apporter avec elle quelques outils fort utiles pour ce genre d'expédition comme un pied-de-biche.

Quelques minutes plus tard, elle soulevait le couvercle d'une caisse. Elle avait réussi, pensait-elle, à le faire sans briser le bois. Elle glissa doucement sa main à l'intérieur pour deviner son contenu puisque la noirceur l'empêchait de le discerner. Elle tâtonnait, tâtonnait, elle ne voulait pas accepter l'idée que faisait surgir à son esprit ses mains tremblantes.

En effet, ce qu'elle tenait en ses mains était bien ce qu'elle avait deviné : un fusil. La caisse ouverte en était pleine et certainement qu'il en était ainsi de toutes ces caisses. Elle était abasourdie par sa découverte. Comment un homme aussi gentil pouvait-il accepté de transporter de telles marchandises. Même s'il n'était pas le propriétaire du navire, il avait certainement son mot à dire pour le fret à transborder.

Elle devinait que ces armes étaient destinées à l'armée britannique, celle-là même qui combattait les insurgés en mal d'indépendance de la couronne britannique. Et à chaque fois qu'il était question de guerre ou de tout ce qui y ressemble, son cœur s'emballait et des images cauchemardesques apparaissaient.

Elle regrettait sa curiosité. Elle aurait préféré ne pas savoir et ainsi conservé un souvenir délicat du commandant.

Les deux derniers jours s'écoulèrent en silence. La belle quitta le navire sous le regard amusé des marins. Elle chercha celui du commandant et ne l'aperçut point. Elle n'en éprouva aucun regret.

— Commandant, commandant, s'écria un matelot en sortant de la cabine de la belle.

— Que se passe-t-il ?

— En rangeant la cabine de notre passagère, voyez ce que j'ai trouvé !

Chapitre Six : San Thomé

On disait au village que grand-père était un bon conteur, parce qu'il prenait soin de s'assurer que ses auditeurs savaient de quoi il parlait. C'est pourquoi, avant de poursuivre son histoire, il me demanda ce que je connaissais de celui qu'on appelle Saint-Thomas ou San Thomé.

— S'agit-il du Thomas qui était un disciple de Jésus et qui ne croyait que ce qu'il voyait de ses yeux ?

— C'est exact. Que sais-tu d'autre à son sujet ?

— Rien de plus grand-père.

Je croyais que mon ignorance lui déplairait au plus haut point. Mais, au contraire, ses yeux se mirent à pétiller de plaisir.

— Il est vrai que la vie de Saint-Thomas est peu connue, même des fervents catholiques. Mais aussi étrange que cela puisse paraître, il semblerait que Thomas était le disciple préféré de Jésus et que ce dernier lui aurait révélé dans le plus grand secret des enseignements uniques.

Maintenant et à quelques autres reprises, je te permets d'utiliser papier et crayon pour noter avec précision les quelques informations historiques nécessaires pour bien relater toute mon histoire. Sachant que tu ne pouvais prévoir une telle nécessité, j'ai apporté le matériel.

— Merci grand-père. Mais pourquoi est-ce si important de prendre des notes à ce moment-ci de l'histoire ?

— Je vais identifier des lieux et des dates qu'il est primordial de mentionner avec précision. Contrairement à tout ce que j'ai pu te dire jusqu'à maintenant qui relève de la fiction, beaucoup de ce qui va suivre est véridique.

— Mais grand-père, je croyais que vous me racontiez une histoire vraie, pas une invention de votre imaginaire.

— Il faut que tu saches, mon garçon, que même l'imaginaire relève du réel et qu'il est bien futile de croire le contraire. Mais ne t'inquiète pas, ta compréhension de tout cela viendra en son temps.

— Je vous écoute grand-père et je suis prêt à prendre les notes nécessaires.

— Saint-Thomas arriva en Inde en l'an 52 après Jésus-Christ et y décéda en l'an 72. Pendant ces vingt années, il prêcha dans différentes régions de l'Inde mais c'est à Mylapore, en banlieue de Madras, que fut érigée une basilique en son honneur. La construction actuelle a été érigée en 1895 et on prétend qu'elle l'a été sur le tombeau de Saint-Thomas. C'est un magnifique bâtiment de blanc vêtu que je te souhaite de visiter un jour prochain.

En 1898 et en 1904, trois fragments de papyrus très mutilés découverts à Oxyrhynque, ville hellénique de Moyenne-Égypte furent publiés. Ces fragments comprenaient une vingtaine de logion d'un évangile qu'on attribuera à Thomas, le disciple de Jésus.

— Grand-père, que signifie le mot *logion* ?

— Le texte de l'Évangile selon Thomas se compose d'une suite de 114 dits qu'on a coutume d'appeler des *logia* (pluriel de *logion*). Ce mot grec classique signifie chez Hérodote et Aristote «réponse de la divinité». Diminutif de *logos*, le *logion* est à celui-ci ce que la partie est à l'ensemble : les 114 *logia* ou *paroles* de Jésus constituent donc son *logos*, sa *Parole*.

— Mais grand-père où sont les autres logia puisqu'une vingtaine seulement furent découverts en 1898 ?

— Voilà tout l'objet de la recherche de la belle de notre histoire. Elle était convaincue qu'elle pourrait découvrir la suite de ces vingt logia aux environs de la cathédrale de San Thomé. Il faut savoir que déjà au sixième siècle, des voyageurs rapportaient l'existence d'une église construite en l'honneur de Saint-Thomas. Le grand explorateur Marco Polo relate lui aussi dans son journal une visite de ces lieux en 1292. C'est te dire toute l'attention portée à Saint-Thomas.

— Pourquoi cet intérêt pour les logia de Saint-Thomas ?

— Par cette question, tu cherches à devancer le déroulement de mon histoire. Mais sache tout de même que la traduction de ces vingt logia laissaient croire que les textes rapportés par les premiers évangélistes auraient été modifiés pour satisfaire les ambitions de certains. Tout laissait croire que Jésus de Nazareth était très différent de celui décrit dans le Nouveau Testament.

Pour éviter que tu imagines les histoires les plus sordides du passage de Jésus sur terre, apprends dès maintenant ceci : ses paroles sont pleines d'une vérité universelle à la portée des chercheurs sincères.

— Tout cela dépasse mon entendement grand-père. Comment vais-je pouvoir écrire cette épopée si je ne saisis par le sens des mots et leur environnement ?

— L'important pour l'instant est de rapporter les événements et leur contexte. La compréhension, je te l'ai dit, viendra en temps opportun.

— Grand-père, il faut que je vous fasse un aveu.

— Si tu veux me dire que tu notes en cachette tout ce que je raconte, j'en suis fort aise. Je n'en espérais par moins de toi.

Chapitre Sept: Un pèlerinage pour la belle

Avant même de trouver un endroit pour loger, la belle voulait se rendre à la Basilique San Thomé pour faire connaissance avec ces lieux qui, elle l'espérait, lui révéleraient la cachette des logia manquants. Même si ses valises l'embarrassaient, il n'était pas question de reporter ce moment. Elle trouva donc un charretier qui accepta de la transporter avec ses valises jusqu'à la basilique. Ce ne fut pas difficile, transporter un blanc est plus payant qu'un national. Elle eut l'embarras du choix.

Nous étions en début d'après-midi, les rues étaient bondées et la charrette devait se faufiler à droite, à gauche, dans un mouvement perpétuel entre les étalages des marchands. Tous avaient un objet souvenir à lui vendre. Elle regardait sans envie tout ce qu'on lui présentait. Elle ne trouverait pas dans leurs étals le souvenir qu'elle voulait rapporter avec elle, cela elle le savait fort bien. Elle regardait avec plaisir tout ce qu'on lui présentait mais l'envie d'acheter quelques babioles lui faisait défaut.

Enfin, après plusieurs heures de cette balade, ils arrivèrent devant la Basilique San Thomé. L'entrée était déserte.

— Est-ce normal ? demanda-t-elle au conducteur de la charrette.

— Bien sûr, madame. C'est l'heure de préparer le repas du soir et cela occupe tout le monde, hommes, femmes et enfants.

Mais rassurez-vous, les portes de la basilique ne sont pas fermées à clé. Elles demeurent ouvertes tout le jour et toute la nuit.

— Est-ce qu'il y a un responsable des lieux ?

— Oui madame. Mais il n'est présent que dans la matinée. Vous devrez revenir demain si vous voulez le voir.

La belle aurait bien voulu le rencontrer avant de se rendre à l'hôtel. Elle voulait s'assurer de la valeur des quelques informations qu'elle avait obtenues avant de quitter Londres. La véracité de celles-ci était capitale pour les recherches qu'elle voulait entreprendre et elle espérait que ce maître des lieux puisse la renseigner.

— Si vous le désirez madame, je peux vous attendre avec vos bagages et vous pourriez aller jeter un regard à l'intérieur. C'est un endroit très paisible.

Elle se laissa tenter par cette première visite et décida de faire confiance au charretier. Il lui paraissait honnête. Elle convint donc avec lui qu'il serait là à son retour.

Ce n'était pas la première fois qu'elle visitait un lieu de culte catholique et chaque fois elle trouvait l'endroit lugubre avec ces croix sur lesquelles était attaché le corps d'un homme. Des frissons lui parcouraient toute la colonne vertébrale ce qui lui donnait froid dans le dos.

La Basilique San Thomé ne fit pas exception. Mais à la différence des autres lieux du même genre, on y respirait un air de gratitude. Envers qui ? Elle l'ignorait. Peut-être à l'égard de Saint-Thomas et des textes qu'il avait préparés pour la postérité !

Elle se promenait lentement dans l'allée principale. Croyant être seule, elle prenait place à un banc puis à un autre et elle prolongea ce petit manège jusqu'à la balustrade de communion. Arrivée là, elle entendit un bruit léger à sa gauche, à peine perceptible. Elle crut qu'il s'agissait d'un petit rongeur. Elle avait une peur irrationnelle de ces petites bêtes. Il n'était pas question qu'elle regarde de ce côté. Elle demeurait figée sur place. Et ce bruit de grésillement qui persistait ! Elle ne savait que faire, sa température corporelle avait augmenté de plusieurs degrés, elle était sur le point de perdre connaissance quand elle entendit une voix.

— Bonjour madame. N'ayez crainte.

Elle était pourtant certaine qu'il n'y avait personne dans cette église. D'où pouvait bien provenir cette voix si légère et délicate qu'on aurait dit le murmure de la brise du matin ? Quoiqu'il en soit, elle était au moins certaine qu'elle n'était plus seule et s'il y avait un rongeur tapis en quelque endroit, cette personne pourrait le faire fuir. Malgré tout l'effort que cela lui demanda, elle décida de faire demi-tour afin d'apercevoir celle qui l'avait tirée de sa terreur. C'est alors que derrière une colonne surgit une jeune fille toute de blanc vêtue. Elle portait un magnifique sari joliment décoré d'un collier de fleurs tressées. Des fleurs multicolores qui conféraient à son visage beaucoup de luminosité. La jeune fille avait fait quelques pas en direction de la belle, juste assez pour que cette dernière puisse être rassurée par sa présence innocente.

— Bonjour. Vous m'avez fait une de ces peurs ! Est-ce que vous avez entendu le bruit qui provenait de votre direction et qui ressemblait à celui que fait un rongeur ?

— Non, madame. Je n'ai rien entendu. Vous avez probablement confondu ce bruit avec celui du tissu de mon sari.

— Êtes-vous une habituée de ce lieu ? demanda la belle.

— Non, c'est la première fois que j'y viens tout comme vous d'ailleurs.

(Comment peut-elle savoir que j'y suis pour la première fois ? se demanda la belle toute surprise de cette réponse. Et avant que la belle ne puisse poursuivre sa réflexion, la jeune fille poursuivit.)

— Je me nomme Mabaji et j'habite la région depuis toujours et pas une seule fois avant aujourd'hui je n'avais eu besoin de venir en ce lieu.

— Alors, qu'est-ce qui vous y amène en ce jour ?

— Vous, madame.

Elle faillit tomber à la renverse. Elle n'avait jamais entendu une réponse aussi stupéfiante de sa vie.

(Cette jeune Mabaji est certainement un peu perturbée pour faire une semblable déclaration. Je vais me montrer prudente. Elle va peut-être chercher à m'entraîner en quelque lieu insolite ou hostile.)

— Vous êtes certainement à vous demander si je suis un peu folle et si je présente un danger pour votre sécurité ?

(Que vais-je lui répondre ? La vérité ou un mensonge ?)

— Vous avez raison. Je ne sais que penser de votre présence et surtout du motif que vous invoquez. Tout cela me semble relever de la sorcellerie. Je suis venue ici parce que je suis à la recherche d'un manuscrit qui aurait été écrit par Saint-Thomas. C'est tout. Je n'ai parlé à personne de mes intentions ni demandé l'aide de quiconque. Alors pourquoi croirais-je ce que vous me dites, vous qui m'êtes étrangère et qui semblez en savoir long sur moi ?

— Je ne suis pas ici par hasard. N'avez-vous jamais entendu dire que l'âme conspire et qu'elle orchestre les événements pour nous aider à trouver des réponses à nos questions ? Sachez que l'aspiration de votre âme est grande. Alors pourquoi vous inquiéter ?

— Ai-je la liberté d'accepter votre présence ou bien le sort en est-il jeté ?

— Pour parler de liberté, je préférerais que ce soit quelqu'un d'autre que moi qui le fasse. Mais l'appel de votre âme est sincère et il serait bienvenu que vous suiviez le chemin qu'elle a préparé !

— Mais comment savez-vous que l'appel de mon âme est sincère ?

— Tout simplement parce que c'est mon travail de répondre aux appels sincères.

La jeune femme était complètement désemparée. Elle était surprise de la discussion qu'elle avait avec cette jeune fille venue de nulle part.

(Je suis en train de devenir folle. Ce qui m'arrive est invraisemblable. Comment tout cela est-il possible ?)

Mabaji voyant que la belle était dans tous ses états lui suggéra de prendre quelques minutes pour réfléchir. La belle marcha doucement vers le banc le plus près et s'y assit. Et là, tout à coup, lui revinrent à l'esprit des lectures de livres anciens d'origine indienne qui rapportaient des phénomènes encore plus extraordinaires que ceux qui se déroulaient sous ses yeux maintenant. Elle se rappelait qu'elle demeurait perplexe à la lecture de ces textes et qu'elle souhaitait, bien candidement, avoir des preuves tangibles de la véracité de tels événements.

(Si j'exclus l'hypothèse que je suis folle car, cela ce serait découvert bien avant aujourd'hui et je ne serais pas ici, alors, je n'ai d'autre choix que celui d'accepter ce qui se présente et de me laisser conduire.)

— Très bien Mabaji. Quelle est la suite du programme ?

— Je vous propose de rencontrer deux hommes qui sont considérés comme de grands sages par le peuple indien et qui, un jour prochain, le seront également par un nombre important de personnes de tous les continents.

— Et comment allons-nous voyager jusqu'à leur résidence ?

— La résidence qu'ils habitent s'appelle un ashram. Celui du premier sage est situé sur le versant d'une montagne, le mont Arunachala, près de la ville Thiruvannamalai.

Le charretier qui vous attend à l'extérieur acceptera sûrement de nous y conduire. Il faut compter environ deux jours pour y arriver.

— Et quand partons-nous ?

— Dès maintenant. J'ai des amis qui habitent le long du parcours et qui accepteront de nous héberger pour une nuit. Pendant le trajet, je vous relaterai la vie de ces hommes qui ont tout abandonné à Dieu.

Depuis le début de leur conversation, Mabaji avait peu bougé. Maintenant qu'elle se déplaçait, on aurait dit qu'elle flottait sur le plancher tellement sa démarche était légère. Ce fut à ce moment que la belle put admirer la jeune fille. Elle était grande, mince et avait une couleur de peau plus claire que celle de ses compatriotes. Ses yeux tout comme ses cheveux étaient d'un noir de jais pur. Elle était absolument magnifique. La belle, consciente de sa propre beauté, ressentit un grand sentiment d'imperfection aux côtés de Mabaji.

(Il faut donc compter cinq à six jours pour ces rencontres. J'aurai suffisamment de temps pour revenir à la basilique et pour débuter mes recherches avant d'aller rejoindre mes confrères.)

S'assoyant sur un siège d'appoint fixé au plancher de la charrette, elles quittèrent Madras. Le confort relatif du début se transforma rapidement en un véritable supplice tant la chaleur était accablante. Mabaji, elle, conservait toute sa fraîcheur.

— Comment se nomme le premier sage que nous allons rencontrer ?

— Il s'appelle Sri Ramana Maharshi. C'est un homme de petite taille avec pour seul vêtement un pagne blanc. Depuis 1896, il est installé sur le mont Arunachala qu'il n'a pas quitté depuis.

Je dois vous prévenir que son histoire est très déconcertante pour des oreilles occidentales et qu'il vous sera nécessaire de faire preuve d'une grande ouverture d'esprit pour seulement m'écouter. Par la suite, vous laisserez votre cœur faire la part des choses.

— Vous ne le savez peut-être pas mais je suis archéologue. J'ai donc l'habitude des histoires qui sortent de l'ordinaire. Le passé de la race humaine en est plein.

Et Mabaji de lui répondre que les esprits scientifiques sont les plus suspicieux.

— Pourquoi me conduisez-vous à ces hommes ?

— Pour qu'ils puissent vous donner des réponses aux quelques questions qui parsèment votre chemin de vie.

N'est-ce pas pour cette même raison que vous avez étudié l'archéologie ?

La belle ne répondit pas et attendit que Mabaji poursuive la biographie de Sri Ramana La route à parcourir était longue et Mabaji aurait amplement le temps de lui raconter la courte histoire de Sri Ramana. Malgré ses études en archéologie, la belle n'avait pas eu l'occasion de se rendre en des lieux aussi particuliers que ceux qu'elle s'apprêtait à visiter. Mabaji le savait tout à fait et pour la préparer à sa première rencontre, elle voulut lui faire vivre l'expérience d'une cérémonie dans un temple hindou.

En début de soirée, elles arrivèrent aux portes d'une petite ville au nom de Kanchipuram. Elle est considérée comme l'une des sept cités saintes de l'hindouisme et plusieurs temples y ont été érigés au fil des siècles. L'atmosphère y était très différente de celle qui régnait à Madras. Les rues quoiqu'achalandées n'étaient pas engorgées et il était plaisant d'y circuler.

Mabaji proposa à la belle de se rendre sans délai au domicile des amis qui les accueilleraient pour la nuit. La belle n'y voyait aucune objection et la fatigue du voyage aidant elle anticipait pouvoir se reposer jusqu'au lendemain. Arrivées sur place, la belle fut surprise par l'endroit qui leur servirait de toit pour la nuit. Elle le trouvait bien exigüe et s'inquiéta pour l'espace disponible dont elle pourrait jouir en toute tranquillité. Mabaji, devinant ses pensées, la rassura.

Elles furent reçues par un homme de grande stature, vêtu d'un doti blanc immaculé qui couvrait son corps de la ceinture aux genoux et d'un châle pour entourer les épaules. Il les salua avec grand respect et les invita à entrer. À l'intérieur, plusieurs personnes s'affairaient à des préparatifs pour des fins inconnues de la belle. Ils interrompirent leurs activités sur le champ et s'approchèrent de Mabaji en inclinant légèrement la tête comme s'ils s'adressaient à un personnage important. La belle était demeurée en retrait et observait avec curiosité ces pratiques d'accueil très surprenantes aux yeux d'une occidentale.

Mabaji informa la belle que la maison dans laquelle elles se trouvaient était celle d'un prêtre et de sa famille et qu'elles étaient invitées à les accompagner à la cérémonie habituellement prévue à cette heure. La belle accepta avec enthousiasme. Elle aurait enfin l'occasion de visiter un temple parmi tous ceux rencontrés sur leur passage. Elle trouvait impressionnant ces édifices tous plus magnifiques les uns des autres.

Tout le groupe se rendit au temple, Il s'agissait en outre du plus vieux temple de Kanchipuram ; il a été construit vers le VIIIe de notre ère et a résisté tout ce temps aux diverses intempéries du ciel, des dieux et des hommes.

— Et comment se nomme ce temple, demanda la belle ?

— On lui donne pour nom «Kailasanatha». C'est le temple le plus majestueux de la ville et c'est également celui qui est le plus fréquenté. Notre hôte en est le grand prêtre.

La belle n'aimait pas beaucoup se retrouver entourée d'étrangers en aussi grand nombre. Curieusement, elle n'éprouva pas le sentiment qui l'habitait en de semblables circonstances. Elle se sentait tout à fait à l'aise malgré la grande promiscuité qui régnait.

Le plus surprenant à ses yeux, était tout l'espace qu'on accordait à Mabaji. En effet, les fidèles, l'apercevant, se prosternaient légèrement en la saluant et faisaient un pas en arrière. Elle s'était dit que cela était provoqué par le fait d'accompagner le grand prêtre.

Le groupe poursuivit sa marche. On entendait de la musique qui provenait de l'autre extrémité du temple. La belle en conclut que s'y trouvait l'autel où se tiendrait l'office. Des milliers de personnes s'entassaient sur leur parcours. La belle n'avait jamais vu autant de gens pour un office religieux, elle en fût émue, elle qui s'était éloignée de la religion de ses ancêtres depuis le début de ses études universitaires.

Seul le grand prêtre gravit les marches conduisant au sanctuaire. Tous les célébrants qui s'y trouvaient déjà étaient des hommes vêtus d'un doti jaune. Ils accueillirent respectueusement celui qui présiderait la cérémonie. Mabaji emboîta le pas au grand prêtre. Un silence de quelques instants suspendit le souffle des célébrants.

Ils avaient reconnu Mabaji.

De retour à la résidence de leur hôte, la nuit était déjà bien avancée. La belle était épuisée. On lui indiqua l'endroit où elle pourrait dormir. Elle s'allongea et s'endormit sur le champ.

Le jour n'était pas encore là que la belle ne pouvait plus dormir. Pourtant, au moment de s'allonger elle pensa que sa fatigue était assez grande pour dormir vingt-quatre heures de suite. Mais curieusement, elle se sentait bien reposée et envisagea de se lever.

La porte de sa chambre était demeurée entrouverte. Une douce lumière provenant de la pièce adjacente attira son attention. Elle pensa qu'un habitant de la maisonnée avait oublié d'éteindre toutes les chandelles, cela aurait pu provoquer un incendie, se disait-elle. Fort heureusement que le sommeil l'avait quittée, elle pourrait ainsi remédier à la situation.

Elle s'avança vers l'endroit d'où provenait cette lumière. Ses yeux s'écarquillèrent de stupéfaction : ce qu'elle apercevait lui paraissait incroyable. Mabaji était assise, immobile, les yeux fermés et les bras croisés. Une lumière violacée émanait de son corps et l'enveloppait. La belle ne pouvait détourner les yeux. Le corps de Mabaji semblait transparent et son visage était rayonnant.

Puis tout à coup, la pièce commença à s'assombrir. La belle éprouva le sentiment d'être une intruse et ne voulant pas se faire surprendre par Mabaji, elle s'empressa de retourner dans sa chambre. Oserait-elle en discuter avec Mabaji ? Il lui serait nécessaire d'avouer son impertinence et cela, le pourrait-elle ?

Le matin pointa enfin son nez. Après un petit déjeuner frugal, nos deux amies se remirent en route. La belle était encore sous le choc de sa nuit et avait gardé le silence depuis le départ. Ce fut avec grand peine qu'elle avait formulé des remerciements d'usage à leur hôte au moment de quitter.

Mabaji perçut le trouble de sa compagne mais ne dit rien. Le moment n'était pas encore venu pour la belle d'avoir la connaissance de ce qu'elle considérait comme un prodige. Mabaji prit la parole et débuta la biographie de Sri Ramana.

— Sri Ramana avait seize ans lorsqu'il mit les pieds pour la première fois sur les flancs de cette montagne. Peu de temps après son arrivée, il entra dans un état que l'on nomme samadhi et y demeura pendant plus de trois ans. Son absorption dans cet état était d'une telle intensité qu'il en oublia l'existence de son corps et du monde ; la vermine dévora en partie ses jambes, son corps dépérissait parce qu'il n'était pas suffisamment conscient pour manger. Après ce temps, il amorça un lent retour à la normale sur le plan physique, processus qui ne fut achevé qu'au bout de quelques années. D'un point de vue hindou, il avait réalisé le Soi ou le Divin ; c'est-à-dire qu'il avait eu l'expérience directe que rien n'existait en dehors de la conscience universelle et indivisible éprouvée dans sa forme non manifestée comme état d'être ou conscience, et dans sa forme manifestée, comme l'univers tel qu'il apparaît.

— Mais il n'est pas possible pour une personne de survivre en de telles conditions. Ce que vous me dites relève de la fiction !

— Ce que je vous raconte est véridique. Je pourrai vous présenter si vous le désirez des témoins. Les Indiens ne sont pas surpris par ces expériences de vie. Plusieurs ont eu la chance de côtoyer quelques grands sages semblables à Sri Ramana et vu de leurs yeux vus ces sages en état de samadhi.

Chez les occidentaux, vous acceptez les miracles relatés dans vos livres saints même s'il ne se trouve personne pour en témoigner aujourd'hui. Vous croyez ces histoires d'un autre temps et vous n'êtes pas capable d'envisager qu'il puisse s'en produire encore des semblables à notre époque. Et pourquoi en est-il ainsi ?

— Je l'ignore, répondit la belle.

— C'est pourtant bien simple. C'est votre intellect ou votre mental qui refuse d'envisager cette réalité. C'est votre intellect qui vous conduit, qui mène votre vie. Vous en êtes l'esclave et qui plus est, vous êtes convaincu qu'il est et doit être le maître. Vous êtes un esclave qui ignore son état d'asservissement.

Sri Ramana pourra vous aider à mieux saisir qui vous êtes en vérité.

Le voyage se déroula sans incident et enfin ils arrivèrent à Thiruvannamalai. C'était le début de l'après-midi et bien que Sri Ramana préférait recevoir les visiteurs tôt le matin, sa grotte était accessible à tous jour et nuit. Il ne refusait l'entrée à personne, même pas aux animaux qui venaient lui rendre visite. Elles se rendirent donc sans tarder à sa grotte. Pour y accéder, elles durent gravir la montagne jusqu'à sa moitié. Et là, tapie sous un immense rocher, une petite grotte dont l'entrée était juste assez large pour y laisser pénétrer une personne à la fois. Sri Ramana était assis à l'intérieur et fixait le silence.

Mabaji s'approcha de lui et, après les salutations d'usage, lui présenta la belle. De toute évidence, Mabaji n'en était pas à sa première visite. Elle connaissait les lieux parfaitement. De plus, à sa vue, le regard de Sri Ramana s'éclaira d'une lumière opalescente.

La belle se sentait, malgré les circonstances, bien à l'aise dans la grotte. Après tout, cette grotte était semblable à toutes celles que visitaient les archéologues. Elle risqua quelques questions.

— Si Dieu est tout, pourquoi les individus souffrent-ils du résultat de leurs actes ? N'est-ce pas Lui qui les a incités à commettre les actions dont ils subissent les conséquences ?

— *Celui qui pense qu'il est l'auteur de l'acte est aussi celui qui souffre*[1].

— Mais c'est Dieu qui incite l'homme à l'action et l'individu n'est que son instrument !

— *Cette logique ne s'applique que lorsque nous souffrons, pas lorsque nous nous réjouissons. Si nous avions toujours la même conviction, la souffrance non plus n'existerait pas*[2].

— Quand la souffrance cessera-t-elle ?

— *Elle ne cessera pas tant que vous n'aurez pas perdu votre individualité. Si les actions bonnes et mauvaises Lui appartiennent, pourquoi penser que souffrance et plaisir vous appartiennent*[3] *?*

Il était un autre sujet qui interpellait particulièrement la belle, celui des théories élaborées par plusieurs religions pour expliquer ce qui se passait après la mort du corps. Certaines prétendaient que l'âme allait au ciel ou en enfer tandis que d'autres affirmaient qu'elle se réincarnait dans un nouveau corps.

Sri Ramana enseignait que de telles théories étaient basées sur la fausse conception de l'existence d'un moi ou d'une âme ; une fois que cette illusion était dissipée, toutes ces théories s'écroulaient. Du point du vue de Dieu, il n'y avait ni naissance ni mort, ni paradis ni enfer, ni réincarnation.

— Est-ce que la réincarnation existe ?

— *La réincarnation existe aussi longtemps que l'ignorance existe. En réalité. Il n'y a pas et il n'y a jamais eu de réincarnation dans le passé, pas plus qu'il y en aura dans le futur*[4].

---

[1] Ramana Maharshi, commentaire et sélection par David Godman, *Sois ce que tu es*, Tiruvannamalai, V.S. Ramanan éditeur, 2007, p. 264.

[2] Ibid., p. 243.

[3] Ibid., p. 243.

Mais pour ceux qui étaient incapables de comprendre cela, Sri Ramana admettait parfois l'existence de la réincarnation. Il explicitait ainsi sa pensée pour ce cas précis : tant que l'on imaginait le moi individuel comme réel, ce moi imaginaire pouvait très bien persister après la mort et s'identifier avec un nouveau corps et une nouvelle existence.

La belle était de ces personnes incapables de concevoir que la vie après la mort, réincarnation ou pas, était simplement une fabrication du mental. Elle posa une autre question sur le sujet.

— Lorsqu'un homme est mort, au bout de combien de temps prend-il une nouvelle naissance ? Tout de suite après ou longtemps après ?

— *Vous ne savez pas ce que vous étiez avant votre naissance et vous voulez savoir ce que vous serez après votre mort. Savez-vous seulement ce que vous êtes maintenant ?*

Connaissez votre être véritable et ne vous tracassez pas avec ces questions. On ne parle de naissance et de renaissance que pour vous faire aller au fond de la question et découvrir qu'il n'y a ni naissance ni renaissance. Elles n'existent qu'en relation avec le corps et non avec Dieu. Connaissez Dieu et ne soyez pas perturbée par les doutes[5].

Ce n'était pas cette réponse qui aiderait la belle à mieux comprendre. Elle trouvait que cet homme, considéré comme un homme sage, manquait de cohérence. Il disait non puis il disait oui sur le même sujet. Quelque chose lui disait au plus profond d'elle-même que cet homme, malgré ses réponses surprenantes, n'était pas un homme ordinaire et qu'elle aurait tort de le croire dément. Il n'était pas question pour la belle de se laisser abattre par ces réponses. De plus, elle pouvait maintenant envisager l'idée que sa présence en ces lieux n'était pas sans raison ni le fruit du hasard. Elle avait encore quelques questions.

— Est-ce que l'on peut réaliser Dieu à travers une recherche ? Et quelle serait la nature de cette recherche ?

— *En ce moment, vous êtes l'esprit ou vous pensez que vous êtes l'esprit. Ce dernier n'est rien d'autre que l'ensemble des pensées. Mais derrière chaque pensée particulière il y a le concept plus vaste du «je», c'est-à-dire vous-même. Appelons ce «je» la première pensée. Agrippez-vous à cette «pensée-je» et demandez-vous ce qu'elle est.*

---

[4] Ibid., p. 243.

[5] Ibid., p. 243.

Quand cette question se sera emparée de vous, vous ne pourrez plus vous attacher à d'autres pensées[6].

— Des yogis disent qu'il faut renoncer au monde et vivre à l'écart dans la jungle si l'on veut trouver la vérité !

— *Il ne faut pas renoncer à une vie active. Si vous méditez une heure ou deux chaque jour rien ne vous empêche de continuer vos activités. Si vous méditez de façon juste, le courant de pensée que vous aurez provoqué continuera même pendant votre travail*[7].

— Si je fais cela, quel en sera le résultat ?

— *Vous vous rendrez compte que votre attitude à l'égard des gens, des événements et des objets change graduellement. Ce que vous ferez aura tendance à suivre spontanément vos méditations*[8].

Mabaji s'approcha de la belle et lui souffla à l'oreille de réserver quelques questions pour l'autre sage.

La belle avait complètement oublié l'endroit où elle se trouvait. Les quelques paroles de Mabaji lui firent reprendre conscience du moment et du lieu. Elle avait étrangement l'impression que les questions posées et les réponses entendues sourdaient d'elle-même et que seul le silence avait occupé le champ du temps et de l'espace.

Elle était complètement bouleversée par les propos de cet homme mais se fit la promesse d'y réfléchir sérieusement avant de les enfouir le plus loin possible dans la caverne de sa mémoire, si nécessaire.

Mais pour l'instant, elle était préoccupée par tout autre chose. L'épopée de la nuit dernière, l'histoire de la vie de Sri Ramana et ses propos l'amenaient à s'interroger sur la nature de sa compagne. Serait-elle d'une tradition identique à Sri Ramana et à tous ces personnages hors de l'ordinaire qui semblent fort nombreux en ce pays ? Elle voulait savoir mais hésitait encore à avouer ce qu'elle considérait comme une intrusion dans la vie de Mabaji.

---

[6] Ibid., p. 77.

[7] Ibid., p. 80.

[8] Ibid., p. 80.

(J'aurais préféré ne pas voir ce que j'ai vu, se disait-elle. Ainsi, l'ignorance face aux enseignements de Sri Ramana et ceux à venir de Sri Aurobindo me permettrait une vie plus tranquille alors que maintenant je ne pourrai faire comme si de rien n'était.) Elle osa enfin.

— Mabaji, je suis profondément gênée pour l'aveu que je dois vous faire. La nuit dernière, alors que je ne dormais plus, je suis sortie de ma chambre et je vous ai aperçue. Je ne pouvais me résoudre à me retirer de la pièce. Une force plus grande que ma volonté me figeait sur place.

Mabaji écoutait. Elle n'était pas surprise. La force dont parlait la belle était celle de sa volonté. Le tout avait été orchestré pour qu'il en soit ainsi. Mabaji savait fort bien que seule l'expérience fait force de vérité.

— Vous avez raison de penser que l'état dans lequel vous m'avez surprise est celui-là même décrit par Sri Ramana, le samadhi. Sachez qu'il y a différentes formes de samadhi et que l'une d'elles ou toutes sont accessibles à qui le veut vraiment.

— Vous êtes très jeune. Est-ce que je dois en déduire que la réalisation du samadhi demande peu d'efforts et de temps ?

— Vous me voyez jeune mais tel n'est pas le cas. Je ne suis pas si jeune que mon apparence le laisse percevoir, croyez-moi.

— Alors, que dois-je faire pour réaliser moi aussi le samadhi ?

— Il suffit de le demander et cela viendra en son temps. Pour l'instant, nous devons poursuivre notre route. Et ne soyez pas désolée pour votre soi-disant intrusion de la nuit dernière, elle était nécessaire.

Le voyage n'était pas terminé et la belle redoutait, malgré tout, la seconde visite. Elle se demandait si le prochain sage tiendrait des propos analogues à ceux de Sri Ramana. Mabaji lui répondit que les affirmations de Sri Aurobindo seraient encore plus difficiles à appréhender par un esprit occidental que ceux de Sri Ramana. Pour apprécier ce commentaire, il fallait savoir que Mabaji avait un sens de l'humour très anglais.

— Ne soyez pas inquiète. Sri Aurobindo est un homme d'une grande simplicité et seules ses paroles apparaissent compliquées mais c'est un excellent vulgarisateur. Il saura certainement vous aider à comprendre.

— Qui est donc ce Sri Aurobindo ? Il me semble avoir entendu ce nom lorsque j'étais aux études !

— Cela est fort possible. Mais avant de vous présenter qui est Sri Aurobindo, laissez-moi ajouter ceci au sujet de Sri Ramana. Sachez qu'il s'adresse à ceux qui l'interrogent de différentes manières : soit il leur répond par la parole, soit il écrit sa réponse soit encore mais plus rarement, par la force de sa pensée silencieuse.

(Grand-père fit une pause. Il me savait un peu fatigué et me proposa quelques minutes de repos. Ce que j'acceptai avec plaisir d'autant qu'il précisa que le récit à venir sur Sri Aurobindo était d'une importance capitale et que je ne devrais pas en perdre un seul mot.)

La belle n'avait pas l'intention d'informer Mabaji de l'impression laissée sur elle par Sri Ramana ni du sentiment d'avoir perçu du plus profond d'elle-même tout ce qui s'était dit. Elle était sous le choc et avait besoin de méditer sur l'objet de cette expérience. Elle se surprit à employer le mot «méditer». Jamais à ce jour, ce mot n'avait surgi à son esprit.

Mabaji reprit la parole.

— Nous allons maintenant prendre la direction de Pondichéry, territoire sous protection française. Le sage que nous y rencontrerons se nomme Aurobindo Ghose. Né le 15 août 1872, il a connu un parcours très différent de celui de Sri Ramana. Le père de Sri Aurobindo, médecin de profession, ne voulait surtout pas que ses trois fils soient imprégnés de la culture indienne qu'il considérait arriérée. Il envoya donc ses fils étudier en Angleterre. Sri Aurobindo a passé treize ans au pays du conquérant de l'Inde. Il a fait des études à la St-Paul's school et à l'université de Cambridge avant de s'en revenir en Inde. Il y revint d'ailleurs avec une idée bien précise : faire l'indépendance de l'Inde.

En 1894, il joignit une société secrète qui préparait une insurrection contre le régime colonial. Le yoga ne faisait pas encore partie de son quotidien. C'est en 1903 qu'il rencontra le yogi Vishnu Bhâskar Lélé. Lélé, lui-même un maître, perçu en Sri Aurobindo une capacité de transformation qui dépassait tout ce qu'il avait cru possible.

Et c'est pendant son année en prison pour tentative de renverser le régime que Sri Aurobindo se livra en entier à la pratique du yoga.

Après sa libération, il n'était plus le même homme. Il avait acquis la conviction que le yoga était le meilleur instrument pour libérer son pays du joug anglais et tous les humains du joug de la souffrance.

Les autorités n'étaient pas convaincues de cette conversion. Elles continuèrent de l'épier pour trouver des raisons de le remettre en prison. Pour contrer cette menace, il s'installa à Pondichéry et il y habite depuis.

— Force est de constater que les deux hommes que nous visitons sont très différents.

— C'est exact. Un qui lit difficilement et un second qui a fréquenté des écoles prestigieuses et qui a remporté de nombreux prix pour l'excellence de ses résultats académiques. Et malgré ces chemins de vie diamétralement opposés, les deux en sont arrivés à la même conclusion : une vie intérieure réalisée est source d'harmonie et de paix.

Après deux jours de voyagement sur un chemin à peine carrossable pour une charrette, elles arrivèrent enfin à Pondichéry. La belle était épuisée mais elle considérait que ces derniers jours représentaient un bon entraînement pour ce qui l'attendait au nord du pays. Elle était de joyeuse humeur et ne redoutait plus la rencontre avec Sri Aurobindo.

Considérant le niveau d'éducation de Sri Aurobindo, la belle croyait qu'il était confortablement installé. Qu'elle ne fut pas sa surprise de constater le dénuement extrême de la seule pièce habitée par Sri Aurobindo. Elle se situait au deuxième étage d'une petite maison sise au milieu d'un terrain miséreux. Mais pourquoi ces hommes acceptaient-ils de vivre dans de telles conditions, se demanda-t-elle ?

Dès leur arrivée à l'ashram, elles furent introduites auprès de Sri Aurobindo. Tous les habitants de l'ashram, sauf un qui avait reconnu Mabaji, furent surpris de la rapidité avec laquelle le maître les reçues.

Sri Aurobindo était assis à sa table de travail et absorbé dans l'écriture d'un traité important «La Vie Divine» qui résumait toute sa pensée. Il leva les yeux à leur arrivée. Son regard perçant faillit jeter la belle à la renverse. Elle demanda à Mabaji si elle pouvait s'asseoir par terre, elle était toute étourdie. Mabaji lui fit signe que oui de la tête.

La belle restait silencieuse. Elle était incapable de parler. Pas un mot ne voulait sortir de sa bouche. Voyant cela, Mabaji se permit de poser une première question. La raison pour laquelle un maître nous reçoit, c'est pour offrir quelque réponse aux questions dont personne ne connaît mieux la réponse que soi-même.

— Sri Aurobindo, qu'est-ce que la foi ?

— *La foi est une intuition qui non seulement attend l'expérience pour être justifiée, mais qui conduit à l'expérience.*

Ce n'est pas la foi abêtissante du charbonnier, mais une préconnaissance, quelque chose en nous qui sait avant nous, qui voit avant nous et qui envoie sa vision à la surface sous forme de besoin, de quête, de foi inexplicable.

Il n'y a pas de preuve que Dieu existe, mais si j'ai la foi en Dieu alors je puis arriver à l'expérience du divin[9].

— Sri Aurobindo, quelle différence entre la foi et l'appel de l'âme ?

— *Il n'y a aucune différence. Ce sont deux expressions pour une seule et même expérience. Les deux conduisent au Divin*[10].

— Quelle explication donnez-vous à la présence du féminin et du masculin dans la nature humaine ? demanda encore Mabaji.

— *Ces deux natures ne sont qu'une forme de la dualité perpétuelle dans la nature humaine, dualité à laquelle personne n'échappe, qui est si universelle que beaucoup de systèmes la reconnaissent comme caractère permanent dont il faut tenir compte dans leur discipline : deux personae, l'une lumineuse et l'autre sombre, dans tout être humain. Si cela n'existait pas, le yoga serait une facile promenade et il n'y aurait pas de lutte*[11].

Le regard de Sri Aurobindo ne s'était pas détourné des yeux de la belle. Elle avait l'impression qu'il pouvait lire au plus profond d'elle-même, encore mieux qu'elle n'avait jamais pu le faire jusqu'à ce jour. Il y avait dans son regard une tendresse incommensurable dénuée de tout jugement.

Un long silence s'installa. Contrairement à son habitude, Sri Aurobindo posa une question à celle qui transportait dans son âme une peine millénaire.

— Qu'espérez-vous de la vie, madame ?

Et la belle répondit d'emblée : trouver la sérénité d'esprit.

---

[9] Satprem, *Sri Aurobindo ou l'Aventure de la Conscience*, Paris, Éditions Buchet/Chastel, 2003. P. 49.

[10] Aurobindo Ghose Sri, textes groupés, traduits et préfacés par Jean Herbert, *Réponses*, Paris, Éditions Albin Michel, 1978. P. 230.

[11] Ibid., p. 390.

— *Dans le monde, chaque personne suit sa propre ligne de destinée, qui est déterminée par sa propre nature et ses actions ; le sens et la nécessité de ce qui se produit dans une vie particulière ne peuvent être compris, excepté à la lumière du cours de l'ensemble de beaucoup de vies. Mais ceux qui peuvent passer derrière le mental et les sentiments ordinaires et qui voient les choses dans leur ensemble peuvent s'apercevoir que même les erreurs, les malheurs, les calamités sont des pas faits dans le voyage*[12].

— Comment puis-je faire pour passer derrière le mental ?

— *Par la vie spirituelle. Elle passe au-delà du mental ; elle pénètre dans la conscience la plus profonde de l'Esprit et agit par la vérité de l'Esprit*[13].

— Et comment se manifeste la vie spirituelle ?

— *Notre âme, de sa chambre mystérieuse, agit,*

Et son influence exerce une pression sur le cœur et le mental,

les incitant à dépasser leur propre condition mortelle.

Elle cherche le Bien, la Beauté, elle cherche Dieu ;

Derrière les murs de notre être nous apercevons notre être sans limites,

Par les carreaux de notre monde nous entrevoyons de vastes étendues,

Sous l'apparence des choses nous recherchons la vérité[14]..

La belle avait maintenant compris les raisons de sa présence en cette terre de l'Inde. Son âme, dès sa naissance, aspirait à faire prendre conscience à ce corps, ce vital et ce mental de toute la puissance du Divin qui l'habitait. Elle savait que sa recherche était loin d'être terminée, au contraire, elle débutait mais dorénavant elle avait quelques indices.

Mabaji s'était retirée doucement de la chambre. La belle était demeurée seule en présence de Sri Aurobindo. Pour la première fois de sa vie, elle ressentait une émotion de grand bonheur, toute la chambre respirait le bon-

---

[12] Ibid., p. 291

[13] Ibid., p. 341

[14] Aurobindo Ghose Sri, traduction de Guy Lafond, *Savitri*, Montréal, Christian Feuillette éditeur, 2005. P. 485.

heur. Elle remercia Sri Aurobindo et souhaita longue vie à cet être hors du commun.

Et Sri Aurobindo se mit à rire de son souhait. Il savait que ce souhait n'était pas nécessaire puisque de toute façon il en était ainsi.

Les deux femmes décidèrent de passer la nuit à Pondichéry avant de s'en retourner à Madras.

Chapitre Huit : Le pèlerinage du commandant

Le matelot tenait en ses mains une grande enveloppe brune qui, de toute évidence était fatiguée de voyager. Le commandant la prit et constata qu'elle n'était pas cachetée. Il remercia le matelot de la lui avoir apportée aussi rapidement et surtout de ne pas l'avoir jetée aux rebuts selon la consigne habituelle. Mais ce matelot, malgré son air rustre, avait perçu chez la belle une grande humanité et s'était dit que cette enveloppe contenait peut-être des papiers importants.

Le commandant s'en retourna dans sa cabine afin d'y examiner, en toute tranquilité, le contenu de cette mystérieuse enveloppe. Il l'ouvrit et en retira avec précaution les papiers s'y trouvant. Ces documents n'étaient pas de vieux manuscrits ce qui aurait pu être le cas considérant la profession de la belle. Par contre, ils étaient écrits dans une langue étrangère et malgré toute la diversité des alphabets que le commandant avait eu l'occasion de voir au long de ses nombreux voyages, aucun ne ressemblait à celui qu'il avait sous les yeux.

Sachant que la belle avait l'intention de se rendre à la Basilique San Thomé, le commandant prit les dispositions pour aller la rejoindre. Il demanda à son adjoint de prendre le commandement des opérations pendant son absence. De toute manière, il n'y avait pas urgence car le navire devait rester à quai pendant plusieurs semaines, les marchandises à embarquer n'étant pas toutes arrivées au port. À l'accostage, il avait été informé de ce retard possible. Sur le moment, cette nouvelle l'avait dérangé mais aujourd'hui, il en était fort heureux. Il aurait ainsi la possibilité de revoir la belle et cela lui procurait une douce ivresse. Il prit l'enveloppe et quelques effets personnels au cas où, car en ces pays on ne sait jamais ce qui peut se produire.

La belle était déjà en route depuis quelques heures. Il espérait pouvoir la rejoindre à la basilique avant qu'elle n'ait quitté, car il lui serait alors impossible de la retrouver. Madras était une grande ville, il était facile de s'y égarer et le climat social tendu ne favorisait pas l'entraide entre les nationaux et ceux qui ressemblaient au conquérant.

Afin de s'y rendre le plus facilement et rapidement possible, le commandant eu recours au service d'un débardeur qu'il connaissait. Ils montèrent dans un cabriolet et sans tarder prirent la direction de la basilique. Malgré l'achalandage, le voyage se déroula sans encombre et ils arrivèrent à la basilique en fin d'après-midi.

Le commandant demanda à son accompagnateur de bien vouloir patienter afin qu'ils puissent s'en retourner ensemble.

Il s'approcha de l'entrée, espérant y rencontrer un habitué des lieux. Personne, sauf un vieux assis à l'arrière d'un muret protecteur entourant le bâtiment. Le commandant lui demanda s'il avait aperçu, au cours des dernières heures, une femme de race blanche aux longs cheveux noirs.

— Les femmes aux cheveux noirs sont légion en ce pays mais de race blanche j'en ai vu une cet après-midi.

— Et que savez-vous d'elle ?

— Elle est entrée dans la basilique et en est ressortie avec une jeune indienne qui semblait l'accompagner. Elles sont montées dans une charrette et sont parties ensemble.

— Vous ont-elles informé de leur destination ?

— Vous n'êtes pas du pays car vous sauriez qu'il est rare que l'on s'adresse à moi, même pour demander son chemin.

Le commandant était complètement désemparé. Il ne savait que faire. Il ne pouvait tout de même pas attendre le retour de la belle même s'il était convaincu qu'elle reviendrait tôt ou tard. Le vieux s'approcha et lui dit :

— C'est peine perdue toutes les tracasseries qui se promènent dans votre tête. Entrez à l'intérieur de la basilique, peut-être y trouverez-vous le calme nécessaire pour bien envisager la suite des événements.

Le commandant le regarda perplexe. La dernière fois qu'il avait mis les pieds dans une enceinte catholique remontait à l'époque de ses études. Depuis, il avait fui ces endroits qui lui retournaient l'âme sans qu'il sache pourquoi. Mais, il se laissa tenter par l'invitation du vieux et entra dans la basilique. Contrairement à ce qu'il anticipait, il ressentit un profond apaisement en franchissant le seuil.

Et pour la première fois de sa vie, la musique qu'il entendait depuis son enfance, diminua en intensité. Il prenait également conscience que depuis son entrée, le vertige qui l'accompagnait dans ses déplacements sur la terre ferme s'était amoindri. Il s'en fallut de peu que l'idée d'un miracle ne surgisse à son esprit. Au moment où la racine du mot miracle se faufilait dans son esprit afin d'y surgir en toute impunité, il s'aperçut alors de la présence d'une autre personne. À sa droite, un jeune homme était assis. Le commandant regarda vers sa direction.

Le jeune homme se leva et s'approcha doucement. Le commandant estima qu'il avait moins de vingt ans. Il était grand et mince et portait un dhoti pour seul vêtement, ce qui permettait de bien voir toute la jeunesse de son corps. Des cheveux longs et noirs entourant un visage complètement imberbe terminaient de tracer le portrait de ce jeune homme aux allures princières.

Le commandant continuait de le regarder sans pouvoir dire un mot. Dans sa tête, plus une seule pensée ne circulait et la musique s'était tue. Il ressentait la paix tranquille que dégage une mer d'huile. Et aussi extraordinaire que cela puisse paraître, pas la moindre inquiétude pour perturber la sérénité de son esprit.

Le jeune homme était maintenant très près et il salua le commandant à la manière indienne. Le commandant l'imita et au même moment son cerveau reprit ses habitudes de bavardage.

— Bonjour monsieur, je me nomme Bataji. Je vous ai entendu demander au vieux s'il connaissait l'endroit où vous pourriez retrouver la jeune anglaise qui est venue ici cet après-midi. Connaissant la réponse à votre question, je me permets de vous interpeler.

Le commandant se demanda par quel moyen ce jeune homme avait pu entendre leur conversation puisqu'ils étaient seuls à l'extérieur de la basilique et que les portes de celle-ci étaient bien fermées. Bataji devinant les pensées du commandant ajouta :

— C'est le vieux qui m'a informé des raisons de votre présence. Il savait que je pourrais vous aider car la jeune indienne qui accompagnait votre amie est ma sœur.

Le commandant ressentit un grand soulagement. Il pourrait revoir la belle et surtout lui remettre cette enveloppe qui, il en était persuadé, contenait des informations importantes pour ses recherches.

— Je vous remercie mais je ne voudrais pas abuser de votre gentillesse. Si vous m'indiquez l'endroit, je pourrais m'y rendre sans tarder.

— Il ne sera pas facile de les retrouver. Elles ont quitté Madras et sont en route pour une ville à deux jours en carriole. Si vous acceptez, je pourrai vous y conduire.

Le commandant demeura perplexe. Il commençait à redouter qu'il s'agisse d'une arnaque ou même d'une tentative d'enlèvement. Bien qu'il soit canadien, aux yeux des indiens, il était assimilé à l'Anglais. Et pour plusieurs, l'anglais est l'ennemi à abattre. Bataji reprit la parole et lui expliqua qu'il n'avait rien à craindre de lui, qu'il n'était pas un terroriste mais qu'il était là en réponse à l'appel de son âme.

Il n'en fallait pas plus pour susciter chez le commandant le sentiment d'une plus grande suspicion. Un individu s'adressant à lui en ces termes est peut-être encore plus dangereux qu'un terroriste, se disait-il !

— Que voulez-vous dire par l'appel de mon âme ? En toute conscience, je n'ai rien demandé à qui que ce soit, exception faite pour faire taire la musique qui assiège mes tympans jour et nuit. Et je n'ai certainement pas fait cette demande à mon âme, si tant est qu'elle existe.

Bataji était demeuré imperturbable avec un léger sourire sur les lèvres et des yeux d'une douceur déconcertante. Il reprit la parole :

— Je comprends que vous soyez bouleversé par ce que je viens de vous dire. Votre amie l'Anglaise l'a été tout autant. Le seul moyen que vous avez pour vous assurer de la véracité de tout ce que je viens de vous dire est de m'accompagner là où votre amie se trouve.

— Et où est-elle justement ?

— Elles sont allées rendre visite à deux grands sages qui sont considérés en Inde comme des maîtres de l'âme. Maître au sens de la connaissance qu'ils ont de l'âme elle-même et de ses besoins. Ils pourront répondre à vos questions et vous expliquer la nature de la présence de l'âme en vous.

Le commandant n'avait pas vraiment le choix s'il voulait revoir la belle. Ils partirent alors tous les deux sans plus tarder. Bataji informa le commandant du lieu de leur première destination, une montagne qui abritait le sage Sri Ramana.

— Et qui est donc ce Sri Ramana ? demanda le commandant.

— Sri Ramana est considéré comme un être exceptionnel par tous ceux qui le visitent. Il a réalisé la présence du Divin et il s'emploie maintenant à faire connaître le moyen pour atteindre cette réalisation. Il affirme que l'âme s'acharne à retrouver le Divin et qu'elle utilise tous les moyens à sa disposition pour ce faire.

Seul et encore à l'âge de recevoir aide et réconfort de ses parents, Sri Ramana a pris la route pour se rendre au mont Arunachala qu'il pressentait comme un endroit renfermant en son sein la puissance du Divin. C'est cette même puissance qui vous a conduit jusqu'ici.

Il en est ainsi pour chacun de nous. La puissance du Divin utilise l'âme pour que celle-ci puisse Lui lancer un appel. Toutes les âmes lancent des appels, certains sont plus puissants que d'autres et c'est ce qui explique toute l'hétérogénéité de la race humaine.

Phénomène encore plus extraordinaire, il n'est pas nécessaire à l'être humain de croire au Divin ou à l'âme pour que cette dernière soit et entreprenne le long parcours qui, un jour, la fera se fusionner avec le Divin.

Le commandant écoutait. Il n'avait jamais entendu des propos aussi étranges. Même son ami d'enfance n'en avait jamais tenu de semblables. Et pourtant, il s'en était fallu de peu qu'il ne soit écarté du chemin de la prêtrise par ceux-là même qui l'y avaient conduit.

Finalement, à bien y réfléchir, Bataji ne pouvait pas être un terroriste ou représenter un danger quelconque pour sa sécurité. Il commençait à respirer d'aise.

— Mais comment un jeune garçon, même en votre pays, en arrive-t-il à quitter sa famille pour vivre seul sur une montagne ?

— À la différence de la majorité des chercheurs spirituels qui doivent adopter une pratique spirituelle longue et exigeante, Sri Ramana a connu une expérience qui s'est avérée irréversible chez lui. Il avait alors seize ans et il était tout seul dans une pièce à l'étage de la maison de son oncle. Il fut alors saisi par une peur intense de la mort, une peur si grande qu'elle provoqua une expérience simulée de la mort. Il réalisa par cette expérience que sa nature véritable était impérissable et sans aucun rapport avec le corps, l'esprit ou la personnalité. À partir de ce moment, la conscience d'être une personnalité distincte, en tant qu'individu, le quitta pour ne jamais revenir.

— Et pourquoi cette montagne précisément ?

— Avant de découvrir que le mot Arunachala désignait une montagne, il croyait que ce mot était une manière différente de nommer Dieu. Peu de temps après son expérience de mort, il découvrit que ce nom était celui d'une montagne et non pas un autre nom pour Dieu. Il comprit alors que c'était là l'endroit où il devait vivre dorénavant.

Le voyage se déroula bien malgré quelques rencontres inquiétantes. En effet, ils rencontrèrent des groupes qui s'en prenaient aux voyageurs solitaires. Mais curieusement, ces groupes circulaient dans leur voisinage et se comportaient comme si nos deux amis étaient invisibles. Les membres de ces groupes ne les saluèrent ni les regardèrent. Le commandant n'osa pas demander à Bataji de lui expliquer ce phénomène, il redoutait une réponse ésotérique hors de portée de sa compréhension du moment.

Ils arrivèrent enfin au mont Arunachala. Le commandant et Bataji avaient eu tout le loisir de mieux se connaître et le premier était maintenant persuadé de la bonne foi de Bataji. Même s'ils avaient peu parlé l'un de l'autre, le commandant ressentait une grande complicité avec celui qui l'accompagnait, celle de personnes qui se connaissent depuis longtemps. Bataji, par ses nombreux silences, suscitait chez le commandant un calme et une quiétude qu'il n'avait jamais éprouvés jusqu'à ce jour.

Depuis leur départ, le commandant n'avait pas ressenti le malaise qui habitait tout son corps et qui altérait son sens de l'équilibre lors de ses déplacements sur la terre ferme. Ce fut en arrivant au pied du mont qu'il réalisa cette absence. Il en fut bouleversé.

(Serait-elle vraiment magique cette montagne ? C'est à n'y rien comprendre. Voilà deux jours que nous sommes partis et c'est maintenant que je prends conscience de ce phénomène. Et que dire de ce silence que je ressentais dans ma tête lorsque j'étais dans la basilique. Suis-je en train de perdre la raison?)

Tout à coup, il éprouva une douleur intense au centre du crâne. Le commandant eut l'impression que sa mémoire, tel un roc, se fendait en deux et de la brèche ainsi faite surgissait un livre. Ce livre qu'il avait aperçu dans la cabine de ce commandant et qui lui avait tout appris. Le titre de ce livre, «La vie des maîtres», lui revenait comme si cela s'était passé la veille. Son commandant le lui avait offert mais il avait refusé, redoutant ce qu'il pourrait y découvrir.

Dès leur arrivée, ils s'empressèrent de se rendre à la grotte de Sri Ramana. Une centaine de pieds avant d'avoir accès à l'entrée de la grotte, ils rencontrèrent un vieux qui descendait en leur direction. Bataji s'adressa à lui en une langue inconnue du commandant. Leur conversation ne dura que quelques instants.

— Votre amie est bien venue ici. On l'a aperçue en compagnie d'une jeune indienne au regard pur m'a dit le vieux, mais elles ont quitté le village ce matin en direction du sud.

— Sait-il où elles sont allées ?

— Non. Mais je connais bien ma sœur et je sais auprès de qui elle conduit votre amie. Il s'agit du grand sage Sri Aurobindo.

Ils pénétrèrent doucement dans la grotte et Bataji, tout comme Mabaji l'avait fait, demeura en retrait, invisible aux yeux du commandant. Le temps à ses yeux de s'habituer à la pénombre de la grotte et le commandant aperçu enfin l'homme. De taille menue, une force immense se dégageait de ce petit corps décharné.

Le commandant prit place en face de Sri Ramana mais après l'avoir bien examiné, il baissa les yeux. Le regard de Sri Ramana avait provoqué le retour de son malaise. Il s'en trouva très indisposé et il s'en fallut de peu qu'il quitte à l'instant. Il jeta un œil du côté de Bataji, celui-ci l'enjoignit silencieusement de persévérer. Il posa donc une première question :

— Il y a ceux qui croient en Dieu, tout va bien pour eux. Mais d'autres demandent : «Y-a-t-il un Dieu ?»

— *Et vous, êtes-vous là*[15] *?*

— Tout à fait. Je vois devant moi des hommes et des femmes défiler. Par conséquent, je suis. Et si le monde a été créé par Dieu, comment puis-je voir le créateur ?

— *Voyez d'abord vous-même, c'est-à-dire celui qui voit tout cela, et le problème sera résolu.*

---

15 Ramana Maharshi, traduction et présentation de Eleonore Braitenberg, *L'enseignement de Ramana Maharshi*, Paris, Éditions Albin Michel, 2005. P. 687.

Mais ne soyez pas inquiet, quoique vous fassiez, vous faites la volonté de Dieu et il vous guide secrètement tapi au plus profond de votre âme[16].

— Alors, pourquoi faire des efforts si Dieu nous guide ?

— *Qui demande cela ? Si vous aviez pleinement la foi que Dieu vous guide, cette question ne se poserait pas*[17].

— Et si Dieu nous guide, pourquoi un sage comme vous donnez des instructions aux gens qui viennent vous voir ?

— *Les instructions sont données à ceux qui les recherchent. Si votre croyance que Dieu vous guide est ferme, tenez-vous-en à elle et ne vous préoccupez pas de ce qui arrive autour de vous. Qu'il y ait bonheur ou malheur, soyez indifférent envers les deux et demeurez dans la foi de Dieu. On y arrive seulement si la foi que Dieu veille sur chacun de nous est suffisamment forte*[18].

— Comment puis-je obtenir une telle foi ?

— *Nous y voilà. Elle est nécessaire pour ceux qui désirent des instructions. Il y a des personnes qui cherchent à se libérer de leur misère. On leur enseigne que Dieu guide tout le monde et qu'il n'y a pas de souci à se faire. S'ils sont de la meilleure trempe, ils y croient immédiatement et demeurent fermement établis dans leur foi en Dieu.*

Mais il y en a d'autres qui ne sont pas aussi facilement convaincus de la véracité de cette simple affirmation. Ils demandent : «Qui est Dieu ? Quelle est Sa nature ? Où est-Il ? Comment peut-Il être réalisé ?» et ainsi de suite. Afin de les satisfaire, des discussions intellectuelles s'avèrent inévitables. Des théories sont avancées, le pour et le contre sont discutés et la vérité est ainsi rendue claire à l'intellect.

Quand tout cela est compris intellectuellement, le chercheur sérieux commence à le mettre en pratique. Il se demande à chaque moment : «À qui sont ces pensées ? Qui suis-je ?» etc., jusqu'à ce qu'il soit bien établi dans la conviction qu'un Pouvoir supérieur le guide. C'est alors que sa foi est devenue ferme. Tous ses doutes sont éclaircis et il n'a pas besoin d'instructions supplémentaires[19].

---

[16] Ibid., p. 687.

[17] Ibid., p. 838.

[18] Ibid., p. 838.

[19] Ibid., p. 838.

— Mais j'ai la foi en Dieu !

— *Si la foi était ferme, aucune question n'aurait été posée. Dans sa foi en le Tout-Puissant, l'homme demeure parfaitement heureux*[20].

Jusqu'à aujourd'hui, le commandant n'avait pas souvenir d'avoir fait cette affirmation d'une manière aussi spontanée. Dieu a toujours été loin de ses pensées. Il considérait comme farfelues les personnes qui y accordaient beaucoup d'importance et qui construisaient leur vie sur l'hypothétique existence de Dieu. Cela était d'autant plus vrai à ses yeux qu'il a vécu et participé à cette guerre mondiale qui venait de se terminer. Après toutes ces horreurs, l'humanité ne lui apparaissait pas meilleure maintenant.

Il était assis devant cet homme qu'il écoutait avec grande attention et il se demandait encore ce qu'il faisait là. Comment pouvait-on passer une vie dans un lieu semblable et demeurer aussi serein ? Cette question lui revenait continuellement à l'esprit depuis son arrivée dans la grotte.

Cet homme n'était pas fou malgré des propos qui dépassaient son entendement et pourtant il demeurait là impassible et confiant que tout ce qui arrivait était pour le meilleur.

Notre commandant n'était pas homme à se laisser persuader aussi facilement. Et de toute manière, il ne désirait pas seulement constater la conviction des autres, il désirait maintenant sa propre conviction, celle qui rendait inutile les questions. Sri Ramana devinant ses pensées suggéra à ses invités d'aller quérir des réponses chez le sage Sri Aurobindo.

Finalement, ce fut avec une profonde tristesse au cœur que le commandant se retira de cette grotte abritant un homme, il en était presque certain, qui méritait bien le titre de saint. Ce fut dans un silence total qu'ils redescendirent la montagne. Le commandant était complètement absorbé par ses réflexions et Bataji le laissa voyager seul au fil de ses pensées. Il était bien conscient de la tempête qui se déroulait dans la tête du commandant et ne voulait pas en augmenter la vélocité.

Le commandant brisa le silence par une question terre à terre :

— Que faisons-nous maintenant ?

---

[20] Ibid., p. 839.

— Nous passerons la nuit dans ce village et nous reprendrons la route demain matin très tôt.

— Et ce personnage identifié par Sri Ramana demeure-t-il loin d'ici ?

— À quelques jours environ et il se trouve que c'est à cet endroit que se sont rendues votre amie et ma sœur.

— Si le hasard n'existe pas comme le prétend Sri Ramana, comment qualifier l'orchestration de ces événements ?

Bataji attendit quelques instants avant de répondre par une autre question:

— Alors pourquoi cette question si vous êtes d'avis que le hasard n'existe pas ?

— Et bien parce que je n'en ai pas la certitude profonde.

— Pour vous aider à vous en convaincre, reprenez le cours de votre histoire personnelle, réfléchissez à la raison d'être de la musique qui vous berce jour et nuit et au chemin qu'elle vous a fait parcourir.

Depuis leur arrivée dans la grotte, le commandant avait retenu une question qu'il ne pouvait plus taire :

— Depuis combien de temps connaissez-vous Sri Ramana ?

— Depuis très longtemps, répondit Bataji. Certains diraient depuis toujours mais encore faut-il savoir ce que renferme le mot «toujours» pour l'employer en cette circonstance.

— Vous suscitez ma curiosité. Que voulez-vous dire par «ce que renferme le mot toujours» ?

— Hum. Ce mot est un synonyme de «éternité». Les humains, face à leur méconnaissance du sens profond du divin et désirant s'en approcher le plus possible, ont inventé le mot «éternité». Ainsi, ils ont la conviction qu'elle sera un jour à leur portée. S'ils avaient la conscience que l'éternité c'est maintenant, ce mot ne serait plus nécessaire ainsi que celui de toujours. S'ils avaient la connaissance du divin, ils ne ressentiraient plus le désir profond de le rejoindre. Voilà la raison d'être de la race humaine.

Enfin, ils arrivèrent à Pondichéry et comme il fallait s'y attendre, la belle et Mabaji avaient quitté l'ashram depuis quelques heures. Malgré l'empressement pour assurer leur déplacement dans les meilleurs délais, ils ne purent arriver plus tôt.

— Que faire, demanda le commandant ? Repartir maintenant et espérer les rattraper avant la nuit ou encore voir Sri Aurobindo ?

— Que vous dit votre cœur ? demanda Bataji.

— Il me dit de rendre visite à Sri Aurobindo. Son appel est tellement fort que je ne puis me récuser.

Ils poursuivirent leur route jusqu'à l'ashram de Sri Aurobindo et Bataji en profita pour le faire connaître au commandant. Il ne pouvait lui mentionner tous les événements qui conduisirent Sri Aurobindo à venir s'installer à Pondichéry car sa vie fut semblable à celle d'Ulysse dans l'Odyssée d'Homère, c'est-à-dire pleine de péripéties les plus invraisemblables les unes que les autres.

— Sri Aurobindo, après un séjour de quelques treize ans en Angleterre, arriva à Bombay en 1893. Il avait vingt ans et des poussières. Il s'est trouvé un emploi auprès du Maharaja de Baroda comme professeur de français, puis d'anglais au Collège de l'État, dont il devint rapidement le directeur-adjoint.

Mais c'était le sort de l'Inde qui le préoccupait. Il faisait de nombreux voyages à Calcutta pour se mettre au courant de la situation politique et écrivait des articles qui faisaient scandale. Il ne se contentait pas de dire que la reine-impératrice des Indes était une vieille dame ainsi appelée par courtoisie, il invitait aussi ses compatriotes à secouer le joug anglais et s'attaquait à la politique de mendiant du Congrès indien : pas de réforme, pas de collaboration. Son but était d'organiser toutes les énergies de la nation en vue d'une action révolutionnaire.

Il réalisa rapidement que les articles de presse ne suffisaient pas à réveiller un pays ; il se mit à l'action secrète qui le conduisit au seuil de la potence. Il y consacra les treize années qui suivirent son retour en Inde. Après avoir rencontré un maître yogi qui l'initia au yoga et avoir eu l'occasion d'une pratique intense lorsqu'il séjourna en prison, il décida de se retirer de ce mode d'action.

Il lisait tout ce qui lui tombait sous la main à une vitesse incroyable. Un jour, un compagnon, voulant savoir ce qu'il retenait de ses lectures, demanda à Sri Aurobindo de réciter la suite d'une phrase prise au hasard dans le livre qu'il venait de déposer sur la table. Après un moment de concentration, il répéta toute la page sans la moindre faute. Ainsi, en était-il de tout ce qu'il touchait : une connaissance immédiate.

Puis, il en eut assez de toute cette gymnastique intellectuelle, il s'était aperçu qu'il pourrait lire tout ce qui avait été écrit à ce jour sans jamais avancer d'un pouce. Bien qu'il en donnait l'impression, il disait que le mental ne cherchait pas à connaître vraiment mais à moudre. Il avait besoin de moudre tout simplement.

Le yoga traditionnel tel qu'on le lui avait enseigné, ne l'intéressait plus. Il le disait incapable de libérer l'Inde d'une part et l'homme de sa souffrance d'autre part. Il n'avait qu'une seule aspiration, celle d'un yoga intégral. Il se mit au travail.

Mirra, celle qui l'accompagne et que l'on appelle la Mère, rendit une première visite à Sri Aurobindo en 1914 et vint le rejoindre définitivement en 1920. Le lendemain de sa première rencontre, elle était assise près de Sri Aurobindo alors que celui-ci donnait des instructions à ses disciples pour la guerre mondiale qui se préparait. Sri Aurobindo voulait profiter de cette situation pour favoriser l'indépendance de l'Inde. Mirra était assise depuis une demi-heure et en se levant debout, elle se rendit compte que Sri Aurobindo avait mis le silence dans sa tête. Elle avait essayé pendant des années et elle n'avait jamais réussi.

Ses écrits avaient attiré l'attention des plus grands philosophes tels que Sésirkumar Maïtra de l'Université de Bénarès, Olivier Lacombe de la Sorbonne ou Frédéric Spiegelberg et Pitirim Sorokin aux États-Unis. Maïtra a consacré plusieurs essais sur les aspects de la philosophie de Sri Aurobindo confrontée à celle de Bergson, de Platon, de Plotin, de Hegel, de Nietzsche et plusieurs autres, soulignant le rôle de Sri Aurobindo non seulement comme point de rencontre entre l'Orient et l'Occident mais, comme le plus avisé de tous concernant la portée compréhensive et la rigueur rationnelle.

Que dire de plus ?

Vous serez en présence d'un homme de rang impérial malgré le décor dépouillé de son habitat.

Enfin, ils arrivèrent à l'ashram de Sri Aurobindo. La Mère les y attendait et les conduisit dans la pièce qui était aussi la chambre et le bureau de Sri Aurobindo.

Bataji s'inclina devant Sri Aurobindo et Sri Aurobindo fit de même devant Bataji. Jamais la Mère n'avait observé ce comportement chez celui que tous, croyants et moins croyants, considéraient comme un maître réalisé.

Et le commandant posa sa première question :

— Sri Aurobindo, pourquoi devrais-je me tourner vers le Divin ?

— *Une leçon que nous enseigne la vie, c'est que dans ce monde tout finit toujours par faire défaut à l'homme _ seul le Divin ne le déserte pas s'il se tourne entièrement vers Lui. Ce n'est pas parce qu'il y a quelque chose de mauvais en vous que des coups s'abattent sur vous. Des coups tombent sur tous les êtres humains parce qu'ils sont pleins de désirs pour des choses qui ne peuvent durer, et ils les perdent ou, même s'ils les obtiennent, elles leur apportent de la déception et ne peuvent pas les satisfaire. Se tourner vers le Divin est la seule vérité dans la vie*[21].

— Et que faire pour entrer en rapport avec le Divin ?

— *Entrer en rapport avec Dieu est yoga... Il y a de ces rapports avec Dieu que nous avons créés dans le cadre de l'humanité, ce qu'on appelle prière, culte, adoration, sacrifice, pensée, foi, science, philosophie. Il y en a d'autres qui dépassent les facultés déjà réalisées par nous, mais qui sont dans le cadre de l'humanité en laquelle nous devons évoluer ; ce sont les rapports auxquels on parvient par les différentes pratiques que l'on appelle généralement «yogas*[22]*».*

— Pourquoi le yoga ?

— *Parce que le but du yoga est de pénétrer dans la Présence et Conscience divine et d'être possédé par elle, d'aimer le Divin pour le seul amour du Divin, d'être accordé dans notre nature à la nature du Divin, et d'être dans notre volonté, nos œuvres et notre vie l'instrument du Divin*[23].

— N'est-ce pas là aussi le but des religions ?

— *Chaque religion a aidé l'humanité. Le paganisme a augmenté dans l'homme la lumière de la beauté, la largeur et la grandeur de la vie, la tendance à une perfection*

---

[21] Aurobindo Ghose Sri, textes groupés, traduits et préfacés par Jean Herbert, *Réponses*, Paris, Éditions Albin Michel, 1978. P. 364.

[22] Aurobindo Ghose Sri, textes groupés, traduits et préfacés par Jean Herbert, *La pratique du Yoga intégral*, Paris, Éditions Albin Michel, 1987. P. 360.

[23] Ibid., p. 30.

multiforme. Le christianisme lui a donné quelque vision de charité et d'amour divins. Le bouddhisme lui a montré un noble moyen d'être plus sage, plus doux, plus pur ; le judaïsme et l'islamisme, comment être religieusement fidèle en action et zélé dans sa dévotion pour Dieu. L'hindouisme lui a ouvert de vastes et profondes possibilités spirituelles. Ce serait une grande chose si toutes ces vues de Dieu pouvaient s'embrasser et se fondre l'une en l'autre ; mais les dogmes intellectuels et l'égoïsme des cultes barrent le chemin.

Toutes les religions ont sauvé un certain nombre d'âmes, mais aucune n'a encore été capable de spiritualiser l'humanité[24].

— Pourquoi est-il si difficile pour l'homme d'accepter la présence du Divin en lui ?

— *Le monde entier aspire à la liberté et pourtant chaque créature est amoureuse de ses chaînes. Tel est le premier paradoxe et l'inextricable nœud de notre nature.*

L'homme est amoureux des liens de la naissance ; aussi se trouve-t-il dans les liens jumeaux de la mort. Dans ces chaînes, il aspire à la liberté de son être et à la maîtrise de son accomplissement.

L'homme est amoureux du plaisir ; aussi doit-il subir le joug du chagrin et de la douleur. Car la félicité sans mélange n'existe que pour l'âme libre et sans passion ; mais ce qui poursuit le plaisir dans l'homme est une énergie qui souffre et qui peine.

L'homme est amoureux des limitations de son être physique, et cependant il voudrait avoir aussi la liberté de son esprit infini et de son âme immortelle.

Et quelque chose en lui éprouve une étrange attraction pour ces contrastes. Pour son être mental, ils constituent l'intensité artistique de la vie. Ce n'est pas seulement le nectar, mais le poison aussi qui attire son goût et sa curiosité[25].

— Alors quel avenir pour l'homme ?

— *Il existe une signification pour toutes ces choses et une délivrance de toutes ces contradictions. Dans ses combinaisons les plus folles, la Nature suit aussi une méthode et ses nœuds les plus inextricables ont leur dénouement.*

---

24 Aurobindo Ghose Sri, traduction et commentaires La Mère, *Pensées et Aphorismes de Sri Aurobindo*, Pondichéry, Éditions Sri Aurobindo, 1994. P. 16.

25 Ibid., p. 9.

La mort est la question que la Nature pose continuellement à la vie pour lui rappeler qu'elle ne s'est pas encore trouvée elle-même. Sans l'assaut de la mort, la créature serait liée pour toujours à une forme de vie imparfaite. Poursuivie par la mort, elle s'éveille à l'idée d'une vie parfaite et en cherche les moyens et la possibilité[26].

— Sri Aurobindo, pardonnez mon ignorance, mais que convient-il de faire en tout premier lieu ?

— *Il suffit de vous assoir, tranquille, de sonder votre âme et de laisser monter l'aspiration à sa surface. L'aspiration sincère est seule essentielle, la suite viendra d'elle-même.*

L'aspiration sincère n'est pas celle du mental ou de votre individualité mais celle du Divin en vous.

Si nécessaire, lorsque vous serez de retour dans votre pays et si un besoin se fait sentir, vous pourrez me le faire connaître par lettre et je ferai de même pour vous répondre.

Mère s'approcha de Bataji et lui souffla quelques mots à l'oreille. Il tourna la tête en direction du commandant et celui-ci compris que l'entretien devait se terminer.

Après les salutations et les remerciements d'usage, ils se retirèrent tout doucement de la chambre de Sri Aurobindo.

Le commandant demanda la permission de s'assoir quelques minutes à l'entrée de l'Ashram, ce qui lui fut accordé. Il avait besoin de cette halte afin de réfléchir à tout ce qu'il venait d'entendre et surtout à cette cargaison qu'il avait transportée. Il comprenait maintenant les motifs de ce transport dans le plus grand secret. Procurer des armes offensives à l'armée britannique afin qu'elle puisse mâter les rebelles qui avaient soif de leur indépendance.

Et que Sri Aurobindo soit considéré comme un dangereux agitateur dépassait le bon sens. Comment un homme de cette qualité pouvait-il préconiser l'emploi des armes pour combattre ses semblables ? Impossible. Les britanniques avaient besoin d'un bouc émissaire et ils avaient jeté leur dévolu sur Sri Aurobindo. Il est vrai qu'un homme d'une telle intelligence est capable d'engendrer l'effroi chez les plus féroces de ce monde. Mais tel n'est pas le cas, son intelligence est au service de l'humanité entière et sa plus

---

[26] Ibid., p. 10.

grande aspiration est d'inspirer les hommes et les femmes afin qu'ils puissent se joindre à l'Un indivisible et multiple.

Prenant conscience de tout cela, il savait fort bien que l'avenir lui réserverait encore le transport de marchandises semblables pour ici et ailleurs et cela provoquait chez-lui un sentiment d'horreur. Il savait qu'il ne pourrait vivre longtemps en présence de cette appréhension.

Pendant ce temps, Bataji s'informa du passage de l'amie du commandant et on lui fit savoir que cette dernière avait quitté Pondichéry tôt le matin pour se rendre à Madras.

Apprenant cela, le commandant proposa à Bataji de prendre la route dès maintenant. Le commandant aurait bien aimé avoir quelques détails sur cette femme qu'on appelait la Mère et qui lui semblait aussi majestueuse que Sri Aurobindo. Il fit connaître l'objet de sa curiosité à Bataji et celui-ci de lui répondre :

— Sri Aurobindo disait de Mère que sans elle il n'aurait réalisé que la moitié de son travail et Mère disait pour sa part que sans Sri Aurobindo elle ne serait pas ce qu'elle est. Elle sans lui ne serait pas elle et lui sans elle ne serait pas lui.

Chapitre Neuf : Babaji

Avec leur cabriolet, le commandant et Bataji se déplaçaient plus rapidement que la belle et Mabaji ne pouvaient le faire avec leur charrette. Ils pressèrent le cocher de faire le plus vite possible espérant ainsi les rejoindre avant leur arrivée à Madras et ainsi ne pas les perdre dans le dédale de ces rues toutes identiques aux yeux de l'étranger.

En fin d'après-midi, à quelques miles de Madras, ils repérèrent au loin une charrette qui pourrait bien être celle des deux femmes. À leur demande, le cocher accéléra le pas. Mais il n'était pas facile de rouler rapidement sur ces routes cahoteuses et pleines de trous creusés par le ruissellement des eaux de pluie. Enfin, ils n'étaient plus qu'à quelques centaines de pieds et les silhouettes qu'ils aperçurent dans un des chariots qui les précédaient étaient certainement celles de l'anglaise et de Mabaji.

C'est alors que le conducteur lança un cri tellement puissant que le commandant s'estima heureux d'être assis à l'arrière autrement ses tympans n'auraient pas résistés. Tous les voyageurs se retournèrent et ce fut avec stupéfaction que la belle reconnut le commandant qui lui faisait de grands signes pour bien montrer qu'elle ne rêvait pas.

Enfin, il la retrouvait. Il était soulagé.

Arrivé au côté de la charrette, ils se saluèrent et convinrent de se rendre à la basilique San Thomé pour poursuivre leur discussion. L'un et l'autre voulaient raconter leurs péripéties des derniers jours. Ils arrivèrent à destination à grand peine dans l'heure qui suivit. Ce moment de la journée était le plus achalandé. Tous avaient hâte d'arriver à la maison et la politesse légendaire de l'indien en prenait pour son rhume. On croyait assister à une course de chars de l'époque romaine.

Comme la nuit se pointait et qu'il n'était pas question de remettre à plus tard leur discussion, ils décidèrent de s'installer à l'intérieur de la basilique à la lumière des quelques chandelles qu'on y avait allumées.

Ils étaient très contents de se retrouver, d'autant plus que ces derniers jours avaient été marqués par des événements hors du commun pour des occidentaux. C'est avec empressement que la belle prit la parole la première. Elle était d'excellente humeur et c'est avec plaisir que le commandant l'écouta.

— J'ai eu l'occasion de rencontrer des personnages extraordinaires ces derniers jours. Ce que j'ai vu et entendu l'était tout autant. Je vous demanderais simplement d'écouter mes péripéties avant de vous prononcer car il est certain qu'ils susciteront des doutes dans votre esprit. Même après avoir assisté à tout cela, je me demande encore si ce n'est pas le fruit de mon imagination ou encore si je ne suis pas en train de rêver.

Le commandant la laissait dire. Il ne voulait pas lui faire savoir maintenant qu'il avait lui-aussi vécu des expériences extraordinaires. Bien qu'il la trouvait magnifique dans cet état, il remarqua que son regard sur lui n'était plus le même. Que s'était-il donc passé pour qu'il en soit ainsi ? Est-ce que ce sont ses rencontres qui l'avait ainsi transformée ou bien la découverte de quelque secret lors du voyage ? Il se rappela soudain l'avoir fait demandé un soir qu'il s'ennuyait dans la cabine de pilotage et le marin de lui répondre qu'il ne l'avait pas trouvée dans sa chambre. Où était-elle allée ? Il ne s'en était pas préoccupé.

— La première visite que j'ai faite a été celle d'un petit homme presque nu qui vit depuis des années dans une grotte à flanc de montagne. On dit de lui que c'est un être réalisé et qu'il baigne dans le bonheur toujours ici et maintenant. Sachez que cela dépasse mon entendement qu'il puisse être heureux dans cet environnement, mais je ne peux nier ce que mes yeux ont vu, mes oreilles entendu et mon cœur ressenti. Pendant les quelques minutes que j'ai passées en sa présence, je me suis sentie parfaitement heureuse. Le temps de ce tête-à-tête, tous les soucis, les peurs et l'anxiété qui m'accablaient depuis ma naissance se sont dissipés. Je lui ai posé quelques questions et ses réponses étaient très différentes de celles que j'aurais pu entendre de nos savants érudits. Des explications qui ne sont certainement pas celles acquises par la seule connaissance intellectuelle mais bien par l'expérience de l'auto-investigation, le meilleur moyen selon Sri Ramana pour puiser des réponses vraies qui ne soient pas celles de nos facultés mentales mais celles de nos facultés spirituelles. Je ne suis pas en mesure d'accepter tout ce qu'il a dit mais je suis au moins certaine d'une chose : l'atmosphère qui régnait dans cette grotte a pénétré tout mon être et depuis, j'ai le sentiment de ne plus être la même personne.

Le commandant continuait de garder le silence même si l'envie était forte de lui dire qu'il avait vécu la même expérience et qu'il se sentait dans un état semblable à celui qu'elle décrivait. Mais il la trouvait rayonnante et ne voulait pas briser cette radiance qui se dégageait d'elle. Il lui demanda de poursuivre son récit, ce qu'elle fit avec grand empressement. Son état était tel qu'elle n'avait même pas réalisé l'absence de surprise et d'étonnement chez le commandant.

— Si ma première visite m'a mise en présence d'un être extraordinaire, aux idées simples mais fortes, je ne sais encore quel qualificatif employer pour désigner celui que j'ai rencontré hier.

Sa chambre, presque nue, était remplie de livres, des centaines de livres écrits en différentes langues. À la lecture des titres, j'ai pu constater que certains étaient en grec, d'autres en latin, en allemand, en français, en anglais et quelques-uns en sanscrit.

On dit de lui qu'il est dangereux et que sa seule raison d'être est de faire la révolution pour libérer l'Inde de l'envahisseur anglais. Laissez-moi vous dire qu'il n'en est rien. Il est invraisemblable de penser que Sri Aurobindo soit un dangereux criminel. Moi qui suis anglaise, il m'a reçue avec générosité et à aucun moment je n'ai perçu chez-lui un sentiment quelconque d'animosité à mon égard.

L'atmosphère qui régnait dans sa chambre était tout à fait semblable à celle de la grotte de Sri Ramana. Mais les propos de Sri Aurobindo étaient beaucoup plus élaborés. Il a fréquenté les plus grandes écoles alors que Sri Ramana lit et écrit avec peine.

Malgré des chemins de vie tout à fait différents, une seule et même aspiration les habite : que la race humaine prenne pleinement conscience de la présence du Divin. Sri Aurobindo qui, à son arrivée en Inde, se qualifiait du plus grand athée que l'Inde ait abrité depuis la nuit des temps est, celui des deux, le plus déterminé.

Mes études m'ont permis de prendre connaissance de documents anciens et nouveaux présentant les réflexions les plus diversifiées. De tout ce que j'ai lu, aucun sauf un, n'abordait la question du Divin de manière comparable à celle de Sri Aurobindo.

— Et de quel document s'agit-il ?

— En fait, ce n'est pas un document complet mais c'est son contenu qui m'a conduit jusqu'ici. Il s'agit d'un papyrus très mutilé sur lequel sont consignés trois fragments des textes de Saint-Thomas, l'apôtre de Jésus. À date, un seul fragment a pu être traduit. Les archéologues qui ont fait cette découverte en 1898 sont certains qu'il n'est pas complet et que la suite se trouve dans un endroit encore inconnu. Les conclusions des recherches que j'ai faites pour identifier l'endroit qui dissimule tous les écrits me laissent croire que ce pourrait être dans cette région-ci. Saint-Thomas y a séjourné les vingt dernières années de sa vie et c'est d'ailleurs en son honneur que fut érigée cette basilique. Je suis d'avis que les textes sont enfouis ici en quelque endroit autour de la basilique.

Sortant l'enveloppe brune de son sac, le commandant demanda à la belle si le document de Saint-Thomas pouvait s'y trouver. Surprise de l'apercevoir dans les mains du commandant, elle fouilla avec empressement dans l'une de ses valises et constata avec effroi qu'elle ne s'y trouvait plus. Elle l'arracha presque des mains du commandant et jeta un coup d'œil à l'intérieur. Rassurée, elle lui demanda d'expliquer pourquoi cette enveloppe était en sa possession. Le commandant ne l'avait jamais vue dans cet état. Elle était passée de la stupeur à l'horreur avant de retrouver tout doucement son équilibre.

Le commandant lui raconta toute l'histoire : la découverte de l'enveloppe dans sa cabine par un marin, sa rencontre avec Bataji et ses visites chez les deux sages qu'elle avait rencontrés. Elle n'en croyait pas ses oreilles.

Comment tout cela était-il possible ? Elle, dont la raison avait sérieusement été ébranlée au cours des derniers jours et qui avait la réputation d'être très rationnelle, ne savait plus que penser.

Le commandant voulut la rassurer :

— Je suis dans un état semblable au vôtre. Mais si je fais la rétrospective de ces derniers événements, qui sont tout à fait réels, et de tous ceux qui constituent l'histoire de ma vie, je ne puis m'empêcher d'y voir un fil conducteur. Ils ont tous leur raison d'être. Il me suffit maintenant d'élucider ce mystère le plus sereinement possible. Et l'hypothèse la plus vraisemblable est celle de l'appel de l'âme, cette âme qui, aux dires de ces sages, aspire par tous les moyens à se faire reconnaître. Les rencontres avec ces deux sages ne sont pas le fruit du hasard. Tout cela était prémédité. Et quel magnifique endroit que celui-ci pour manifester notre gratitude !

— Vous avez certainement raison. La seule logique n'est pas suffisante pour appréhender tout cela, il est nécessaire de faire appel à l'intelligence du cœur, celle-là même que les deux sages ont manifestée dans leur propos. Je me dois de constater que je ne suis plus la même personne tout en étant identique. Il y a quelque chose en moi qui s'est métamorphosée et je ne saurais encore pressentir tout le résultat de cette mutation.

— Cela expliquerait-il votre regard à mon endroit qui n'est plus celui que vous aviez lorsque nous étions sur le navire ?

La belle, décontenancée par l'observation judicieuse du commandant, ne sut que répondre. Depuis ce périple chez les sages, elle comprenait que le mensonge n'avait plus sa place mais comment lui faire connaître le pourquoi de cette différence sans lui révéler ce qu'elle avait fait de répréhensible. Elle continua de garder le silence, espérant que le commandant s'en satisfasse. Mais rien n'y fit. Il attendait une réponse. Elle se décida donc à lui raconter sa descente dans la cale du navire et ce qu'elle découvrit dans la section protégée d'une porte d'acier.

Le commandant ne savait que dire ni comment réagir. Il comprenait et son amitié pour la belle réfrénait un sentiment de colère fort légitime. Il était le premier responsable du navire et de son chargement et avait donné sa parole de garder secrète la nature des marchandises. Malgré ce qu'il avait entendu de Sri Aurobindo et Sri Ramana, sa parole avait été donnée et une parole donnée pour le commandant d'un navire a force de prescription.

La belle commençait à s'inquiéter de son silence. Elle savait avoir commis un geste qui trahissait la belle amitié naissante mais les souvenirs de la guerre obstruaient son cœur. Le commandant se décida enfin à prendre la parole.

— Sachez, madame, que je transporte des armes depuis bien des années. La première fois que cela m'a été demandé, nous étions au début de la guerre mondiale. La Grande-Bretagne était bombardée par l'Allemagne, et le Canada, pays du Commonwealth, se devait d'apporter son aide. C'est ainsi que mon premier transport d'armes fut destiné à la Grande-Bretagne. À cette époque, cela représentait de bien plus grands dangers que maintenant.

— Je vous ai jugé bien trop rapidement. Pardonnez mon insolence. Ce sont des personnes comme vous qui ont permis aux alliés de mettre fin à cette guerre insensée qui a fait tant de victimes innocentes. En disant cela, je pense à Sri Aurobindo et je souhaite ardemment qu'il soit épargné.

La quiétude était maintenant revenue dans la basilique à ce point que même les flammes des chandelles, toutes sautillantes depuis le début, avaient retrouvé le calme qui les caractérise en l'absence de toute agitation extérieure.

La belle hésitait encore à révéler le contenu de l'enveloppe. Elle s'était pourtant promis de garder secrètes les quelques bribes qu'elle possédait des écrits de Saint-Thomas. Mais après réflexion, elle estima que le commandant avait droit à cette confidence. Après tout, la toile que la vie avait tissée pour favoriser leur rencontre n'était pas sans raison même si elle ne pouvait l'expliquer pour le moment.

Elle prit l'enveloppe et en sorti les quelques feuilles qu'elle contenait. Elle donna les derniers détails de leur origine et toutes les raisons qui l'avaient attirée dans ce lieu.

Après tout ce qu'il avait vu et entendu ces derniers jours, le commandant ne s'étonna guère des pérégrinations de la belle. Elle l'autorisa à copier les quelques lignes du manuscrit traduites en français et lui fit promettre de les dévoiler uniquement si nécessaire pour le plus grand bien d'une âme sincère.

Voici les paroles cachées que Jésus le Vivant a dites et qu'a transcrites Didyme Judas Thomas.

Jésus à dit :

Que celui qui cherche ne cesse de chercher

Jusqu'à ce qu'il trouve ;

et quand il aura trouvé.

il sera bouleversé,

et, étant bouleversé.

il sera émerveillé,

et il règnera sur le Tout[27].

Les disciples dirent à Jésus :

Dis-nous comment sera notre fin,

[27] Gillabert, Émile, Pierre Bourgeois et Yves Haas, *L'Évangile selon Thomas*, Paris, Éditions Dervy, 2009. Logion 2.

Jésus dit :

Avez-vous donc dévoilé le commencement

pour que vous cherchiez la fin ?

Car là où est le commencement,

là sera la fin.

Heureux celui qui se tiendra dans le

commencement,

et il connaîtra la fin,

et il ne goûtera pas la mort[28].

— Ne trouvez-vous pas étrange commandant que ces paroles rapportées de Jésus ressemblent beaucoup à ce que Sri Ramana et Sri Aurobindo nous ont révélé chacun à leur manière ?

— Vous avez raison. Je dois vous avouer que ces paroles de Jésus sont de nature à me réconcilier avec ce Jésus que j'avais renié. Ces paroles sont très différentes de celles rapportées dans les évangiles canoniques et qui ont force de loi dans nos églises.

Est-ce tout ce que vous avez ?

— J'ai à peine plus, le début d'un autre logion seulement. Mais avant de vous le lire, laissez-moi vous informer de l'interprétation donnée par le traducteur de ces logia :

> *Trouver ce que Jésus cache aux sages et aux habiles mais qu'il révèle aux tout petits exige de la part de celui qui cherche des dispositions, une attitude, une disponibilité, une faculté d'émerveillement, une aptitude à vivre l'ici et maintenant, qui sont propres au nouveau-né.*
>
> *Or tout ce que notre mémoire a enregistré, sensations, pensées, imagination, bref, tout ce qui constitue notre mental conscient et inconscient, tend à nous faire oublier la vie et la source de la vie.*

---

[28] Ibid., Logion 18.

Comment retrouver la pureté du regard qui permet la vision de l'Être d'où nous venons ?

La recherche qui habite tous nos instants porte en elle les promesses de vie. Une fois que le processus est engagé, il devient irréversible comme le lever du soleil que précèdent la nuit, puis l'aube, puis l'aurore[29].

— Maintenant, écoutez les quelques lignes du dernier logion qui a été traduit :

Jésus vit des petits qui tétaient,

Il dit à ses disciples.

Ces petits qui tètent sont comparables

à ceux qui vont dans le Royaume.

Ils lui dirent :

Alors, en étant petits,

irons-nous dans le Royaume ?

Jésus leur dit :

Quand vous ferez le deux[30]......

....

— C'est tout ce que j'ai. Mais avec cette révélation des paroles de Jésus, il m'a été plus facile d'accepter de suivre Mabaji car j'avais le sentiment que cela ne serait pas du temps perdu. Aujourd'hui, je puis vous dire que je n'aurai de cesse tant et aussi longtemps que je n'aurai retrouvé ce manuscrit au complet.

Nos deux amis étaient tellement absorbés par leur discussion qu'ils en oublièrent la présence de leur guide respectif. Ce fut le commandant qui renoua avec la réalité du moment présent. Il se retourna et aperçut Bataji qui

[29] Ibid., P. 188.

[30] Ibid., Logion 22.

attendait patiemment la suite des choses. Le commandant s'adressa alors à lui :

— Pardonnez mon impolitesse. Nous étions si occupés à nos affaires que je vous avais complètement oublié. Heureusement, vous avez eu la gentillesse d'attendre. J'aurais été désolé de n'avoir pu vous présenter à celle qui nous a fait parcourir tout ce chemin.

Et Bataji de lui répondre :

— Vous êtes excusé. Je me doutais bien que vous auriez plein de choses à vous dire et je savais toute l'importance qu'elles avaient à vos yeux. Maintenant, je pense que ma présence n'est plus nécessaire et je me propose de quitter.

— Attendez quelques instants encore, le temps de faire la connaissance de mon amie.

Pendant leur conversation, la belle s'était placée un peu à l'écart. Elle avait beau regarder avec attention, elle n'apercevait personne de sexe masculin qui puisse porter le prénom de Bataji. Alors que le commandant était sur le point de s'adresser à elle, elle l'interrompit :

— Cher commandant, je ne suis guère mieux que vous. J'ai également oublié de vous présenter Mabaji, cette jeune et douce fille qui m'a si gentiment guidée. Sans elle, tout ce qui nous est arrivé ces derniers jours n'auraient pu se réaliser. Elle m'a introduite auprès de ces deux sages avec une facilité déconcertante.

Elle se tourna alors vers Mabaji, et tout comme le commandant, lui fit ses excuses. Elle sortit alors de son sac un petit coffret dans lequel se trouvaient quelques bijoux. Elle prit un joli bracelet qu'elle tendit à Mabaji.

— Pour vous remercier et pour vous témoigner toute ma reconnaissance, veillez s'il-vous-plaît accepter ce bracelet en gage de mon amitié.

La jeune Mabaji prit le bracelet et l'installa immédiatement à son poignet.

Mais le commandant ne comprenait rien à la scène qui se déroulait devant ses yeux. Il ne pouvait apercevoir la jeune fille à qui s'adressait la belle. La seule personne présente était Bataji et c'est Bataji qui prit le bracelet et non pas Mabaji comme le prétendait la belle.

Constatant l'air abasourdi du commandant, elle lui demanda :

— Mais qu'avez-vous commandant, vous êtes tout pâle, avez-vous aperçu un fantôme ?

— Madame, je ne saurais vous expliquer ce qui m'arrive de crainte que vous me pensiez fou mais laissez-moi tout de même vous dire que j'aperçois ici avec nous une seule personne et cette personne est Bataji, le jeune homme qui m'a accompagné et celui-là même qui a pris votre bracelet.

— Alors monsieur, c'est moi qui ne suis pas bien. La seule personne que je vois ici est Mabaji et non pas un jeune homme du nom de Bataji.

Nos amis discutaient, discutaient, essayant de comprendre ce qui leur arrivait et la nature de cette méprise. C'est alors qu'ils aperçurent la porte d'entrée qui se refermait avec une seule et même silhouette qui s'y faufilait. Il avait quitté en silence comme seule une personne de sa nature pouvait le faire. Ils demeurèrent stupéfaits, ne sachant que penser. Ils se regardèrent quelques instants, une question unique leur vint à l'esprit :

— Se pourrait-il qu'il s'agisse d'une seule et même personne, que Bataji et Mabaji n'étaient en fait ni Bataji ni Mabaji ? S'exclamèrent-ils tous les deux simultanément et à voix haute. Ils étaient convaincus qu'ils ne pourraient obtenir de réponse à cette question. Ils étaient les seuls témoins.

Mais la porte n'était pas sitôt fermée qu'un autre prodige se produisit.

— Madame, me croirez-vous si je vous dis que je n'entends plus de musique dans mes oreilles et que je ne ressens plus du tout le vertige ?

— Soyez rassuré, je vous crois. Le chagrin dans lequel baignait mon cœur depuis mon enfance parce que mon père espérait un garçon et non pas une fille, et bien ce chagrin s'est évanoui. Je suis libérée et pour toujours j'en suis certaine.

Toute la nuit et jusqu'à l'aube, ils demeurèrent ainsi à discuter. Ils étaient heureux et avaient le sentiment que l'avenir saurait leur apporter paix et bonheur.

Au petit matin, ils sortirent de la basilique et qu'elle ne fut pas leur étonnement d'y trouver un vieil homme assis à quelques pieds de l'embrasure. Le commandant le reconnut, il s'agissait du même homme rencontré quelques jours plus tôt et qui l'avait renseigné sur le passage de la belle. Le commandant le salua poliment et s'enquit des raisons de sa présence en ce lieu de si bonne heure. Le vieux les regarda sans surprise et esquissant un sourire du bout des lèvres ne se pressa pas de répondre. En fait, il n'avait pas l'intention de répondre à cette question qu'il jugeait importune. Il n'était pas homme à se laisser impressionner par quiconque, même si celui-ci portait un costume bien décoré.

Le vieil homme se leva et s'approcha du couple. Malgré son âge, il se déplaçait allègrement et l'humidité du pays ne semblait pas l'avoir affecté de quelque manière. Arrivé à leur hauteur, le commandant lui demanda de s'identifier. Il aimait bien connaître le nom des personnes à qui il s'adressait. Surtout celles qui présentaient une allure peu ordinaire.

— Je m'appelle Govindan, pour vous servir.

— Pouvons-nous vous être d'une aide quelconque, demanda le commandant ?

— Non, vous êtes bien gentil mais c'est plutôt moi qui peut vous aider !

— Et comment cela, demanda la belle ?

— En vous informant de la nature du personnage qui vient de vous quitter et qui vous a guidés pendant tous ces jours pour y rencontrer Sri Aurobindo et Sri Ramana.

Le commandant et la belle demeurèrent stupéfaits. Comment cet homme qui ne les avait pas accompagnés pouvait-il connaître ces détails. Et Govindan d'ajouter :

— Vos rencontres vous ont certes permis de constater que ce qui apparaît pour certain invraisemblable est tout à fait plausible pour d'autre. Et c'est bien pour cela que je me trouve ici ce matin, pour élucider les événements de cette nuit en la basilique San Thomé. Après avoir entendu les propos de ces deux personnages et avoir perçu leur état, il vous est maintenant possible d'envisager sans trop de scepticisme ce que je pourrais vous révéler de la nature de Babaji. Vous pourriez me dire que cela n'a pas d'importance, que les péripéties de ces derniers jours sont amplement suffisantes pour satisfaire votre recherche…

— En effet, c'est exactement ce qui me traversait l'esprit, ajouta le commandant. Et peut-être en est-il de même pour ma compagne ?

— Vous sous-estimez ma curiosité, cher commandant !

Le commandant se reprit et signifia son intérêt pour connaître le nom de ce personnage énigmatique. Peut-être ainsi en saurait-il plus long sur leur guide respectif tout aussi mystérieux.

Govindan, maintenant satisfait du niveau d'intérêt, débuta son exposé.

— Vous devez savoir que vous êtes privilégiés car rarissimes sont les personnes qui ont eu la chance de rencontrer le personnage qui vous a servi de guide. Car en fait, il s'agit d'une seule et même personne qui vous a accompagnés chez Sri Ramana et Sri Aurobindo. Il porte le nom de Babaji.

Le Bouddha, prédit, vers la fin de sa vie, au Ve siècle avant Jésus-Christ, que ses enseignements seraient perdus et redécouverts environ 800 ans après son départ par une personne dont le nom serait combiné au terme «naga». Plusieurs érudits sont d'avis qu'il s'agit de Babaji qui a reçu pour nom de naissance celui de «Nagaraj».

Babaji est un maître accompli qui a vu le jour au troisième siècle après Jésus-Christ et qui, pour des raisons connues de lui seul, se présente occasionnellement à quelques humains qui éprouvent un grand besoin spirituel. Cela ne signifie pas qu'il se manifeste aux seuls humains sincères car plusieurs le sont et n'ont pas la chance de le rencontrer. Pour qu'il en soit ainsi, des conditions particulières doivent être rencontrées que seul le karma peut expliquer. Maintenant que vous savez ce que sont le karma et la réincarnation, vous êtes mieux en mesure de comprendre.

Babaji est un grand maître de yoga qui réside encore dans les Himalayas et qu'on appelle parfois Kriya Babaji Nagaraj, Mahavatar Babaji ou Shiva Baba. Son corps a cessé de vieillir à l'âge de seize ans. Il a conquis la mort et atteint l'état d'illumination suprême. En conséquence, tout lui est possible, comme prendre deux formes humaines différentes simultanément.

Pour le bénéfice du plus grand nombre, il a repris les enseignements des 18 maîtres Siddhas du Tamil Nadu et les a synthétisés en une forme de yoga qui s'appelle «Kriya Yoga de Babaji». Par la suite, il les a transmis directement à quelques disciples avec pour mission de faire de même avec leurs propres disciples. Le Kriya Yoga de Babaji est transmis uniquement de maître à disciple. Ainsi en est-il de Babaji !

À la grande surprise du commandant, la belle demanda alors à Govindan si des occidentaux pouvaient être initiés au Kriya Yoga de Babaji.

— Bien sûr, répondit Govindan. Le Yoga n'appartient pas aux seuls Indiens. C'est une voie universelle capable de faire le bonheur de tous.

Alors la belle sollicita la permission de se retirer quelques instants avec le commandant.

— Vous n'avez pas de permission à obtenir de moi, vous êtes libre de faire comme bon vous semble, répondit Govindan.

Ils retournèrent à l'intérieur de la basilique.

— Commandant, au point où nous en sommes, nous n'avons rien à perdre de demander à être initié au Kriya Yoga de Babaji ! Je suis certaine que ce Govindan est habilité à le faire. Il n'a pas été placé sur notre route par hasard !

Le commandant se montrait hésitant. Malgré toutes ses expériences de voyage en contrées lointaines et souvent inhospitalières, sa capacité à assimiler le vécu des derniers jours avait dépassé la mesure. Il demeura silencieux quelques instants, ne sachant que répondre. À la fois désireux et perplexe, il se rappela alors une phrase de Sri Aurobindo disant que seule l'aspiration sincère est importante et que l'âme s'occupe de faire le nécessaire. Son aspiration était sincère et son âme tout autant désireuse de poursuivre. Il fit signe que oui à la belle.

Ils s'en retournèrent rejoindre Govindan qui les accueillit avec le sourire de celui qui devine les pensées. Il les invita à le suivre. Ils se rendirent à sa résidence et là pendant une semaine, ils reçurent les enseignements du Kriya Yoga de Babaji.

Le grand-père ne voulait pas en dire plus mais son jeune auditeur insista.

— Grand-père, vous ne pouvez pas changer de chapitre ainsi en gardant secret ce qui s'est passé dans la résidence de Govindan !

Le grand-père regarda son petit-fils avec tendresse. Il ne savait que répondre à cette légitime curiosité tout en étant conscient de ne rien pouvoir révéler.

— Ne sois pas triste. Un jour, il te sera donné l'occasion de parfaire tes connaissances et ainsi de satisfaire ton désir ardent de tout savoir. Mais sache que le commandant et la belle, au sortir de la résidence de Govindan, respiraient calmement. Ils étaient conscients de la transformation qu'ils venaient de vivre et de tout le chemin encore à parcourir pour satisfaire pleinement l'appel de leur âme.

— Grand-père, je vous en prie, encore un peu !

Il se laissa attendrir par cette dernière supplication et informa son petit-fils de la nature des pratiques qui composent le Kriya Yoga de Babaji.

— Alors, écoute bien ceci. Le Kriya Yoga se divise en cinq groupes de techniques :

kriya hatha yoga qui est l'art scientifique de la maîtrise du corps physique,

kriya kundalini pranayama qui est l'art scientifique de la maîtrise du souffle,

kriya dhyana yoga qui consiste en une série de techniques de méditation,

kriya mantra yoga est la répétition silencieuse de sons en puissance,

kriya bhakti yoga ou yoga de l'amour et de la dévotion.

La pratique sérieuse de ces différentes techniques aide l'aspirant sincère à libérer son âme.

Le pauvre garçon, ignorant du sujet, demeurait bouche bée et n'en demanda pas plus.

Chapitre Dix : Le retour du commandant

Le commandant était de retour sur son navire et voyait aux derniers préparatifs avant leur départ pour Liverpool. Les marins s'étaient inquiétés de son absence prolongée. L'adjoint du commandant se proposait de se rendre à un office de la police afin de déclarer sa disparition. Tous étaient heureux de son retour et bien sûr ils auraient bien aimé en savoir plus long sur ses aventures. On savait qu'il avait quitté précipitamment pour remettre une soi-disant enveloppe à leur belle passagère. Certains ont imaginé qu'il n'en était rien et que c'était le commandant qui avait tout orchestré afin de se retrouver seul en compagnie de la belle.

Le commandant ne confia à personne, pas même à son adjoint, les pérégrinations de ces derniers jours. De toute façon, s'était-il dit, aucun ne me croirait et cela ne ferait que renforcer les quelques idées qu'ils se faisaient.

Le chargement du navire était complété et ils purent reprendre la mer. Ils étaient tous très contents de quitter cet endroit. Il s'y était passé des choses qu'ils ne pouvaient s'expliquer car leur commandant n'était plus le même homme. Autrefois si joyeux et charmant, il avait maintenant un air taciturne et n'adressait la parole aux marins que pour la bonne marche du navire. Lui qui prenait tous ses repas avec les hommes, il demeurait maintenant dans sa cabine pour celui du soir. On soupçonnait qu'il était amoureux et qu'il avait du quitter la belle par nécessité du devoir.

Bien qu'il ait beaucoup apprécié la présence de cette jeune femme à l'esprit vif, tel n'était pas la raison qui l'avait rendu si pensif. Il songeait sérieusement à s'en retourner dans son pays. Maintenant qu'il était délivré de son «mal», sa présence en mer n'était plus aussi vitale. Cela était d'autant plus vrai qu'il ressentait le besoin de s'installer définitivement en quelque lieu propice au bien-être de son âme. Et la pensée de transporter à nouveau des armes même pour les motifs les plus nobles n'était plus acceptable pour lui.

Il était obsédé par cette idée du retour. Mais que pourrait-il bien faire comme travail dans ce pays qu'il ne connaissait plus ? Lui dont le seul métier était de faire voguer les navires sur les mers du monde.

Tous les soirs, il s'enfermait dans sa cabine et il réfléchissait à son avenir. Et par un beau matin ensoleillé, il en ressortit tout joyeux. Sa décision était prise. Il s'en retournait chez-lui et il verrait sur place quel nouveau travail il pourrait y pratiquer. Même s'il avait passé toute sa vie d'adulte sur un bateau, il n'en avait pas moins appris trente-six métiers.

Ce serait donc son dernier voyage. Il prit les dispositions pour informer l'armateur qu'un nouveau commandant serait bientôt nécessaire pour prendre sa relève. Il indiqua son intention de poursuivre jusqu'au port de Montréal avant de céder la barre à son successeur. Il en fut tel qu'il le souhaita.

Le commandant descendait de son navire pour la dernière fois. Il avait emballé tous ses effets personnels dans deux valises. Il avait accumulé peu de choses depuis toutes ces années en mer et il n'avait pas été homme à se procurer des souvenirs pour le seul plaisir de rafraîchir sa mémoire ou encore pour prouver ses dires. Il avait beaucoup voyagé, il avait beaucoup vu et cela lui suffisait. C'était l'été de l'année 1925 et le temps était resplendissant. Il ne pouvait y avoir meilleur moment pour changer le cap de sa vie, se disait-il.

Quelques jours plus tard, il arrivait à la maison familiale. Il n'avait pas annoncé son retour et ce fut la surprise totale. Il y avait tellement longtemps qu'ils ne s'étaient vus qu'il s'en fallut de peu que sa mère ne le reconnaisse. Il avait quitté la maison alors qu'il était mince et jeune et il revenait vieilli par l'air salin et bien en chair.

Ses parents avaient également beaucoup vieillis. Son père se déplaçait avec peine et il devait s'aider d'une canne pour le faire. Sa mère avait conservé une bonne forme et malgré son âge avancé était demeurée alerte et vive. Ses frères et sœurs avaient tous quitté pour prendre mari ou femme et fonder leur propre famille sauf un qui était demeuré avec les parents.

Après son départ, son père avait réussi à convaincre le frère aîné du commandant d'entreprendre les études de notariat. Ce qu'il fit, semble-t-il sans beaucoup d'enthousiasme et avec difficulté. Il n'avait pas la vivacité d'esprit du commandant.

On organisa une grande fête pour souhaiter un bon retour à l'enfant prodigue. La fête dura une semaine et pendant tout ce temps, on n'avait de cesse de demander au commandant de raconter ses aventures en mer. Il avait quitté bien jeune et ils étaient tous ignorants de la vie de leur frère.

Tous appréciaient ses histoires et découvraient chez leur cadet des talents indéniables de conteur. Ils voyagèrent toute la semaine tout en demeurant bien assis sur leur chaise. Ils étaient ravis de le retrouver et de pouvoir enfin mieux le connaître. Depuis son départ, il avait été très rarement le sujet de leur conversation. On parlait de lui au passé. Tous étaient convaincus qu'il ne reviendrait pas à la maison et qu'un jour un télégramme les informerait qu'il avait péri en mer suite à un naufrage.

— Et maintenant, lui demanda son frère notaire, que vas-tu faire de toutes ces années à venir ?

— J'ai longtemps réfléchi et ma décision est prise. Voyager comme je l'ai fait m'a permis de faire de bonnes économies. Je vais donc me mettre à la recherche d'une belle forêt, en acheter cinq cents arpents, m'y construire une maison et si possible fonder une famille.

La réponse ne pouvait être plus claire. Le frère notaire, homme très pratique malgré une apparence débonnaire avait encore une question.

— Et comment vas-tu subvenir aux besoins de ta famille ? As-tu assez d'économies pour regarder les arbres pousser ?

— Mais non, grand frère, je vais apprendre le métier de bûcheron et me faire travailleur forestier. Il se trouvera bien une âme généreuse pour m'enseigner. Je quitte un océan bleu pour un autre qui est vert.

— Je connais un homme, maire d'un petit village dans le Haut-Pays, qui est aussi un grand propriétaire terrien. Je sais qu'il désire se départir d'une partie des terres qu'il possède. Tu pourrais aller le rencontrer et discuter avec lui.

— Excellente idée, mon frère. Je m'en vais le voir dès demain.

Le lendemain, comme prévu, le commandant se rendit dans ce petit village situé cinquante miles à l'est. Il alla directement à la maison du maire. Ce dernier le reçut sans beaucoup d'empressement : c'était un personnage fort occupé et il avait beaucoup à faire. Le commandant en vint rapidement au but de sa visite. Le maire l'écouta avec attention et lorsque le commandant eut terminé de raconter son histoire, il fit un léger signe de la tête, ce qui rassura quelque peu le commandant. Tout au long de leur rencontre, il était demeuré impassible, le commandant n'avait rien perçu chez cet homme qui lui indique son intérêt à vendre.

— J'ai ce que vous cherchez, monsieur. Mais le territoire que j'ai à vendre est tout d'une pièce et il fait plus de mille arpents. C'est à prendre ou à laisser.

Le commandant en avait vu d'autres. Il ne se laissa pas impressionner par la sentence du maire. Il se montra hésitant en répétant mille arpents plusieurs fois avant d'ajouter que c'était deux fois plus étendu que ses besoins.

— Pour gagner votre vie et celle de votre famille, vous avez besoin de cette superficie. Autrement, vous allez vivre dans la misère.

Le commandant était complètement ignorant des revenus que pourraient générer cinq cents ou même mille arpents de forêt. Il savait par contre que le maire était un marchand et que le métier de marchand voulait qu'il vende à profit.

— Monsieur le maire, avant de vous donner ma réponse, il nous faudrait aller marcher le terrain.

— Aujourd'hui, je n'ai pas le temps. Revenez demain à la première heure et nous irons ensemble.

Le commandant qui était demeuré debout pendant toute la discussion fit un pas en arrière pour bien montrer sa contrariété. Il voulait ainsi mettre un peu de pression pour les négociations à venir. Il n'était pas acheteur à tout prix et cela, il voulait que le maire en prenne bien conscience.

Le lendemain, ils se rendirent donc sur place. Toute la journée leur fut nécessaire pour marcher de long en large les mille arpents. Le commandant était émerveillé, le sentiment qui le parcourait était semblable à celui éprouvé sur la montagne de Sri Ramana ; celui-là même qu'il ressentit en constatant que le vertige n'était plus présent dans sa tête, un sentiment de grande liberté.

À la fin du parcours, ils entreprirent leur premier marchandage sur le prix de vente. Le commandant avait pris soin, avant de partir, de demander conseil à son frère notaire. Ce dernier, par sa profession, était bien au fait de la nature de telles transactions. Le prix demandé était légèrement plus élevé que celui qu'il pressentait mais tout de même raisonnable. Le commandant avait les économies nécessaires mais il voulait acquérir le tout à un juste prix. Il simula n'avoir rien entendu du prix demandé et poursuivit la conversation sur un tout autre sujet. Le maire était un fin renard et il devinait le jeu du commandant. Il en avait vu des bien plus rusés au cours de sa carrière de marchand. Mais il voulait vendre. Il n'avait pas le temps de voir à tous ses avoirs et la vente de cette terre en bois debout l'arrangerait.

— Il faut que je vous fasse une confidence monsieur avant que vous acceptiez mon offre. Il se trouve qu'une jeune femme du village vient très souvent en bordure de cette forêt. Je connais bien cette femme et je vous demanderais de l'autoriser à revenir quand bon lui semble. Elle ne fait que marcher pendant une heure ou deux avant de s'en revenir au village. Elle ne vous serait d'aucun dérangement, je vous l'assure.

Ils discutèrent et se mirent d'accord sur le prix et sur la présence de cette femme pour laquelle le commandant ne demanda pas plus de détails que ceux révélés par le maire. Moins d'un mois s'écoula entre le moment de la visite et celui de la signature du contrat d'achat. Le commandant se sentait pressé.

L'hiver serait là bientôt et il n'avait pas d'endroit pour s'abriter. Il consacra tout son temps à la construction d'une petite maison. Il la construisait de telle manière qu'il puisse l'agrandir si le nombre de ses habitants venait à augmenter. Parce qu'il était perçu comme un étranger, les citoyens des environs demeuraient sur leur garde, et de temps à autre, venaient observer l'avancement des travaux.

En d'autres circonstances, il s'en serait trouvé plusieurs pour organiser une corvée et construire cette maison dans le temps de le dire mais on préférait rester prudents.

Le commandant se rendait au village uniquement pour s'approvisionner en nourriture et en matériaux. Il s'était construit un abri temporaire qui l'abritait la nuit et les jours de grande pluie pendant lesquels il lui était impossible de travailler à la construction. Il avait apporté quelques livres qu'il lisait avec grande attention pendant ces congés forcés par la nature. Les travaux avançaient bien mais pas une seule fois il n'avait aperçu cette femme dont le maire lui avait parlé. Il s'était dit qu'elle avait changé ses habitudes en apprenant la présence d'un étranger sur leur territoire. On l'avait mise en garde et elle aurait pris peur.

Arriva enfin le jour où le commandant pu passer sa première nuit sous un toit solide, sous ce toit qu'il avait lui-même construit de peine et de misère. Après ce qu'il considérait comme un exploit, il était au moins certain d'une chose ; il ne se ferait pas charpentier.

Nous étions au début du mois de novembre et les nuits se faisaient très fraîches. Le commandant était tout de même satisfait de son travail et il s'emploierait pendant l'hiver à terminer les travaux intérieurs. Il était maintenant à l'abri et c'était là le principal.

Quelques jours s'écoulèrent et par un matin rempli de brouillard, le commandant sortit à l'extérieur pour aller quérir l'eau nécessaire à sa toilette matinale. Qu'elle ne fut pas sa surprise d'apercevoir une jeune femme près du puits. Elle était assise sur une souche et lui tournait le dos, elle ne pouvait donc pas l'apercevoir.

Il s'approcha doucement non pas pour la surprendre mais pour mieux l'observer. Elle avait l'oreille fine, il marcha à peine quelques pas et elle se retourna. Elle se leva et vint à sa rencontre sans éprouver la moindre crainte. Elle était la cadette du commandant de quelques années et avec ses jolis yeux noirs en forme d'amande, elle lui rappela la femme indienne. Il parla le premier :

— Êtes-vous la personne qui, au dire du maire du village, vient régulièrement en bordure de cette forêt ?

— Je suis bien cette personne mais c'est la première fois que j'y viens depuis votre arrivée dans la région.

— Et pourquoi avez-vous interrompu ces visites ?

— Je ne voulais pas vous déranger et ainsi vous laisser tout le temps nécessaire pour construire votre maison.

— Mais vous n'auriez été d'aucun dérangement, je vous l'assure.

Ils discutèrent ainsi, de tout et de rien, pendant au moins une heure. Le ventre du commandant le rappela à l'ordre, il était vide et désirait qu'on s'occupe aussi un peu de lui. Les quelques bruits qu'il produisit eurent leur effet. Le commandant invita la visiteuse à partager son premier repas du jour, ce qu'elle accepta avec plaisir. Malgré sa simplicité, la visiteuse apprécia ce festin frugal du matin. Le déjeuner était terminé mais la curiosité du commandant était demeurée sur sa faim.

— Madame, serait-il indiscret de me faire connaître les motifs qui vous incitent à venir ici régulièrement depuis plusieurs années ?

— Comme nouvel arrivant, vous ne pouvez pas être au courant de tous les racontars du village. Alors, je vais vous répéter ce que l'on raconte sur mon compte dans le village. On dit de moi que je suis peut-être un peu dérangée. J'aurai bientôt trente ans et je ne suis pas encore mariée. Ce ne sont pas les demandes en mariage qui ont manqué mais aucun des prétendants n'avaient les qualités de celui que j'attendais. Alors je suis devenue celle que l'on qualifie de vieille fille, qui n'intéresse plus un homme parce que trop âgée. Fort heureusement, mon père s'est montré d'une grande patience et a supporté ma présence en sa demeure malgré que je sois devenue la risée du village pour mes visites matinales dans la forêt.

Le commandant ne savait plus que dire. Cette femme lui semblait en bonne santé physique et mentale et malgré sa trentaine d'années, elle était encore très jolie. Comme elle n'avait pas vraiment répondu à sa question, il l'a lui posa à nouveau et ce qu'il entendit, n'eut été son séjour à Madras, l'aurait conduit à se joindre au groupe des villageois qui la trouvaient un peu dérangée.

— Je vais vous faire cette confidence sans crainte car je sais que vous pouvez l'entendre sans porter de jugement.

Depuis plusieurs années, plus d'une douzaine, un peu avant que les garçons ne s'intéresse à moi et me voit comme une femme bonne à marier, je venais ici chaque fois qu'on m'y appelait. Je ne saurais vous expliquer, mais certains matins, avant même le réveil alors que je dormais encore profondément, j'entendais une voix qui m'appelait et m'invitait à venir jusqu'ici. Des années durant, je suis venue sans jamais y rencontrer personne. Depuis que vous avez fait l'acquisition de cette forêt, la voix s'était tue jusqu'à ce matin. Je suis venue et vous voilà.

Pendant les semaines qui suivirent, elle continua de rendre visite à celui qui, elle en était persuadée, deviendrait son mari. Le commandant appréciait ses visites et tout doucement son amour pour elle prit de plus en plus de place dans son cœur. Lui aussi avait maintenant la conviction qu'elle deviendrait bientôt sa femme. Ils continuèrent de se fréquenter ainsi jusqu'à la fête de Noël sans se dévoiler complètement les sentiments qu'ils éprouvaient l'un pour l'autre. Ils savaient fort bien qu'il ne pourrait en être ainsi encore longtemps. Ils convinrent que le jour de Noël serait une belle occasion d'officialiser leur amour.

Elle invita le commandant à venir la rejoindre à la maison familiale pour cette fête. Même si elle savait qu'il était peu enclin aux cérémonies religieuses, elle le persuada de l'accompagner pour la messe de minuit. Elle lui parla du curé du village qui était un peu différent de ceux qui l'avaient précédé et des curés des villages voisins.

Elle lui raconta quelques épisodes de la pratique religieuse du curé qui, malgré ses dérogations au protocole religieux habituel, démontrait bien son attachement à Jésus.

Cela convainquit le commandant à demi, mais il savait bien qu'il ne pourrait encore faire abstraction longtemps de la pratique religieuse des paroissiens s'il espérait être reconnu à part entière comme un des leurs.

Il se rendit donc à la maison de celle qui deviendrait bientôt sa femme. Ce serait sa première visite à la résidence familiale et qu'elle ne fut pas sa surprise de constater qu'il s'agissait de la maison du maire. En effet, le maire du village était aussi le père de celle qu'il aimait. Il comprenait mieux maintenant les propos du maire lors de la transaction d'achat et surtout la demande spéciale qu'il lui fit.

Il fut reçu avec les honneurs réservés à un commandant qui avait navigué sur toutes les mers. Le commandant n'ayant posé aucune question sur la famille de sa future, il était normal qu'il n'en sache rien. Il ne mariait pas la famille se disait-il, alors il ne voyait pas l'intérêt de s'en inquiéter de quelque manière que ce soit. Mais il n'en avait pas été de même pour sa belle-famille. Père et mère voulurent tout connaître de celui qui, ils l'espéraient, deviendrait le légitime époux de leur fille chérie. Eux qui croyaient que le mauvais sort leur avait destiné une fille qui les priverait du bonheur d'avoir des petits-enfants.

Quelques minutes avant de quitter pour se rendre à l'église, le commandant demanda officiellement au maire du village la main de sa fille. Le maire attendait ce moment depuis fort longtemps, vous pouvez être certain qu'il n'hésita pas avant de répondre par l'affirmative. La femme du maire, qui était demeurée discrète pendant tous ces moments, s'approcha du commandant et le prit dans ses bras comme seule une mère sait le faire. Le mariage était prévu pour le printemps à la fonte des dernières neiges.

La présence du commandant à l'église ne passa pas inaperçue. Comme ils arrivèrent avec quelques minutes de retard et que le banc du maire se trouvait à l'avant de l'église, tous les paroissiens purent prendre acte du miracle qui se réalisait sous leurs yeux : la fille du maire était accompagnée d'un homme. Tous comprirent qu'il y aurait bientôt mariage au village et comptaient bien s'y faire inviter.

Voici que le curé arrivait entouré de ses enfants de chœur, quatre au total car il s'agissait d'une célébration importante, celle qui soulignait la naissance de Jésus de Nazareth.

En levant les yeux vers l'assistance, le regard du curé se dirigea vers ce nouveau paroissien qui prenait place dans le banc du personnage le plus important du village après le curé. Une sensation étrange l'envahit pendant quelques instants. Il avait le sentiment de connaître cet homme. Il ne savait où, mais il était certain de l'avoir déjà rencontré. Le commandant avait l'esprit ailleurs, il ne remarqua pas le regard du curé maintes fois tourné en sa direction. Il en fut ainsi pendant toute la messe. Et au moment de donner la bénédiction d'usage pour clôturer la cérémonie, le curé se rappela. Bien sûr, comment avait-il pu oublier ? Celui qui se trouvait en face de lui n'était nul autre que son ami d'enfance qu'il n'avait pas revu depuis sa fugue. Quel bonheur, il retrouvait enfin la seule personne avec qui il avait pu discuter des doutes qui l'habitaient encore aujourd'hui.

Le commandant était demeuré imperturbable. À aucun moment, il n'eut l'impression de connaître celui qui célébrait l'office. Même pendant le prêche qu'il avait entendu sans écouter, pas l'ombre d'un souvenir ne lui revint.

Ils n'étaient pas sitôt revenus à la maison qu'ils entendirent frapper à la porte. Qui cela pouvait-il bien être, se demandèrent-ils ? Ils n'attendaient personne. Le maire se rendit à la porte d'entrée pendant que les autres s'affairaient aux préparatifs du réveillon. Après plusieurs minutes, le maire revint mais il n'était pas seul. Monsieur le curé l'accompagnait. Le commandant leva les yeux et tout son corps se mit à trembler à un point tel qu'on lui apporta une chaise afin qu'il puisse s'asseoir et reprendre ses sens.

Il venait de le reconnaître. Les yeux pleins de larmes, il s'approcha du curé et lui fit la bise comme cela se pratiquait dans les vieux pays. Ce fut une soirée mémorable. Ils se racontèrent jusqu'aux petites heures du matin et on les écoutait avec toute l'attention encore disponible à ces heures avancées.

Au petit matin, avant de se séparer, le commandant avait une requête importante à faire aux membres de sa future famille et à son ami le curé : je vous demanderais de ne divulguer à quiconque les aventures de ma vie passée. Je ne voudrais pas que les gens du village imaginent les pires scénarios du temps passé en mer, ce qui leur serait très facile et ils ne comprendraient pas ma présence en leur village. Avec le temps, nos contemporains et leurs descendants oublieront mon origine.

La promesse fut faite un peu à regret. La belle-famille aurait bien aimé faire valoir le passé glorieux du commandant pour dorer leur histoire familiale. Ils se comporteraient tel que souhaité.

Le curé était emballé de marier celui qui avait été son meilleur ami pendant toute sa jeunesse avec celle qu'il savait avoir un cœur pur.

L'hiver se déroula sans beaucoup de bruit sauf celui du vent qui rappelait au commandant les tempêtes glaciales qui sévissaient sur l'océan Atlantique qu'il traversa à maintes reprises. Il termina l'aménagement de cette maison qui accueillerait bientôt celle qui deviendrait sa femme et qui, il l'espérait, donnerait naissance à plusieurs enfants.

Le curé qui espérait le revoir à tout le moins aux cérémonies religieuses du dimanche, demeura dans l'attente tout l'hiver. Le commandant préféra pratiquer dans le plus grand secret les techniques du Kriya Yoga apprises avec Govindan.

Le printemps arriva et le mariage fut célébré en grandes pompes malgré les réticences du commandant pour l'apparat.

(Pour ce chapitre, j'étais dans la maison de grand-père. Il faisait un peu trop froid à l'extérieur pour écouter sans broncher. Depuis mon enfance, je venais régulièrement rendre visite à mes grands-parents mais je ne sais pourquoi, je n'avais jamais porté attention aux quelques livres alignés sur une tablette du vaisselier. Je m'approchai de ce magnifique meuble et je demandai la permission à grand-père de prendre en mes mains les livres qui s'y trouvaient. En saisissant les livres dans mes mains, je me permis une question à grand-père.)

— Pendant tout le récit vous ne m'avez pas indiqué le nom du village qui avait accueilli le commandant, vous est-il possible de me le révéler maintenant ?

Grand-père me regarda fixement dans les yeux et après avoir bien sondé toute ma capacité à entendre la réponse, il me confia :

— Il s'agit du village de Saint-Éloi.

— Mais grand-père, c'est le nom de notre village !...

(Et en disant cela, je vis le titre du livre que je tenais dans mes mains : «La Vie Divine».)

Chapitre Onze : Le pèlerinage du curé

Jusqu'au jour du mariage, le curé rendit visite au commandant plus souvent que la future mariée ne le fit. Il voulait tout savoir des voyages du commandant et surtout du dernier qui le conduisit à Madras. Toutes ces années passées dans ce village du Haut-Pays l'avait privé du monde et de tout ce qui s'y passait. Les bibliothèques étaient éloignées et c'était avec difficulté qu'il pouvait se rendre à l'une ou l'autre lors de ses rares visites à l'évêché.

Il emprunta les quelques livres du commandant et c'est avec beaucoup de scepticisme qu'il en faisait la lecture. Il écoutait le commandant lui parler de Sri Ramana et de Sri Aurobindo et ne savait que croire. Il savait que son ami était honnête et qu'il ne cherchait pas à abuser de son ignorance du monde d'ailleurs. Bien que convaincu des bonnes intentions du commandant, le doute persistait. Pourquoi pendant toutes ces études en théologie n'avait-on jamais parlé de ces hommes aux prouesses surhumaines ?

De son voyage à Madras, le commandant n'avait pas encore abordé le sujet de la basilique San Thomé, il ne lui avait pas non plus parlé du papyrus sur lequel on avait retrouvé les paroles de Jésus, ni du rôle de Saint-Thomas. Il hésitait, il ne voulait pas perturber plus qu'il ne l'était son ami le curé en lui révélant des paroles qu'il ne pourrait retrouver textuellement dans les évangiles canoniques. Mais son ami était tellement curieux de tout cela que, quelques jours avant le mariage, le commandant lui fit lire les quelques logia qu'il avait recopiés.

Le curé les lut, les relut et les relut des dizaines de fois sans se lasser et finalement s'exclama :

— Pour la première fois de ma vie, j'ai la conviction que voilà enfin des éléments de réponses à mes questions. Je suis complètement bouleversé. Je ne sais que faire mon ami.

— Voilà pourquoi j'ai hésité avant de te montrer tout ça. Je ne voulais surtout pas que tu remettes en question toute ta vie et que tu quittes cette vocation à laquelle tu t'es consacré entièrement. Bien que les paroles que nous avons en main soient très succinctes et incomplètes, elles ne doivent pas te conduire à la disgrâce et ultimement à l'excommunication. Je pense qu'elles révèlent la vraie nature de Jésus et qu'elles doivent au contraire renforcer ta foi.

Le curé écoutait avec attention les arguments de son ami, les trouvait éclairants et pleins de sagesse. L'idée de ce qu'il convenait de faire commençait à se dessiner.

Le mariage fut célébré avec tout le faste que permettait la vie dans le Haut-Pays. Chacun s'en souviendrait et pourrait raconter à ses petits-enfants la magnificence de ce jour mémorable.

Entre-temps, le curé avait pris sa décision et les dispositions pour la mettre à exécution. Il avait écrit à son évêque pour solliciter la permission de s'engager comme missionnaire à l'étranger. Il indiqua dans sa lettre qu'il voulait prendre la direction de l'Inde, le sud plus précisément. Tout en aidant les populations locales, le curé désirait par-dessus tout retrouver les logia manquants si l'amie archéologue du commandant ne l'avait fait à ce jour.

À l'évêché, sa lettre fut lue avec attention. On s'attendait à pire de la part du curé et tous furent soulagés par sa demande. Elle lui fut accordée mais on lui rappela son engagement à revenir dans ce village lors de son retour. Ce fut ainsi que le curé quitta le village de Saint-Éloi au début de l'été 1926 pour se rendre à Madras.

Ce voyage lui demanda deux mois. Il s'était embarqué sur un navire de passagers qui partait de Montréal en direction de l'Angleterre et de plusieurs autres pays avant d'accoster à Madras. Ces deux mois de trajet, le curé les traversa de choc culturel en choc culturel. Il commençait à douter de sa capacité à pouvoir s'adapter en pays étranger. Il anticipait avec inquiétude toutes les misères et les difficultés qui l'attendaient. Quelques regrets se glissaient sournoisement de temps à autre dans son esprit mais à chaque fois il les rejetait avec force. Il n'était pas question de faire marche arrière parce que la peur de l'inconnu le paralysait. Il était conscient de sa grande ignorance de la vie en Inde et de tout ce qui s'y tramait mais il voulait lire tous les logia. Il avait la conviction profonde que son âme y trouverait tout le réconfort auquel elle aspirait depuis si longtemps.

Dès son arrivée à Madras, il se rendit à la basilique San Thomé pour le seul plaisir d'admirer cet endroit dont lui avait parlé avec tant d'émotion son ami le commandant. Bien sûr, il espérait y rencontrer l'archéologue anglaise en souhaitant qu'elle s'affairait encore à la recherche des logia.

Malheureusement, elle n'y était plus mais on l'informa qu'elle avait confié au gardien son intention de revenir avant la fin de l'année 1926. Il en conclut qu'elle n'avait pas encore trouvé ce qu'elle cherchait. Il s'en trouva soulagé. Si elle avait récupéré les logia, cela l'aurait placé dans un profond embarras. Il lui aurait été fort probablement impossible de la rejoindre.

Il n'eut pas de difficulté à trouver une famille prête à l'héberger en attendant de prendre contact avec les autorités ecclésiastiques locales. Ce qu'il fit dans les jours qui suivirent. On lui confia la cure d'une paroisse qui était privée des services d'un prêtre depuis plus de vingt ans. Fort heureusement, elle était localisée à quelques miles de la basilique San Thomé, ce qui lui permettrait de s'y rendre à volonté.

Une petite maison décrépite lui servirait à la fois de presbytère et de résidence. Il s'installa du mieux qu'il put, n'ayant apporté avec lui que le strict nécessaire car il n'avait pas voulu s'encombrer de nombreux bagages importants. Il le regrettait amèrement.

Entre temps, il avait pris contact avec le responsable de la basilique afin d'être prévenu dès le retour de l'archéologue. On lui en fit la promesse.

Les semaines passèrent et toujours pas d'archéologue ; le curé commençait à redouter qu'elle ne revienne pas au moment prévu ou pire encore qu'on l'ait induit en erreur sur le retour de l'archéologue.

Pendant ce temps, il s'affairait dans sa nouvelle paroisse. Ce n'était pas le travail qui manquait. Il y avait tout à faire, de la réparation de la maison du curé jusqu'à celle de la chapelle qu'il trouva dans un état lamentable indigne de Celui qu'elle abritait. Il réorganisa les offices religieux auxquels bien peu de paroissiens assistaient. Il s'accommodait facilement de cette situation et comprenait qu'il en soit ainsi dans cette partie du pays où la religion hindoue était très présente et semblait très bien répondre aux besoins des gens du pays. Les quelques textes qu'il avait lus de Sri Aurobindo et de Sri Ramana ne corroboraient pas ce qu'il observait des pratiquants. Il ne savait qu'en penser.

Loin d'être une religion païenne, l'hindouisme faisait une place au Divin bien plus grande que celle faite par la religion catholique. Malgré quelques dogmes forts comme celui des castes, les indiens faisaient preuve d'une ferveur peu ordinaire qui aurait fait l'envie de tous les curés de son pays natal.

Enfin, la femme qu'il attendait depuis son arrivée se manifesta : l'archéologue était de retour. Sans perdre une minute, il se rendit à la basilique pour y rencontrer celle dont le commandant lui avait parlé avec tant d'éloges. La surprise de la belle fut grande en voyant arriver cet homme tout de noir vêtu et qui arborait un col romain.

Le voyant venir dans sa direction, elle comprit que c'est elle qu'il désirait voir. L'étonnement fut à son comble lorsque le curé lui fit connaître son amitié avec le commandant. Il l'informa également de la confidence que le commandant lui avait faite. Le curé ne mit pas longtemps à lui expliquer les raisons de sa présence en cette terre étrangère. Il était pressé de connaître les résultats de la recherche de l'archéologue.

— Je n'ai encore rien trouvé, lui avoua-t-elle tristement. L'année dernière, après le départ du commandant, je n'ai pas eu suffisamment de temps pour entreprendre sérieusement les fouilles. C'est ce que j'ai l'intention de faire cette fois-ci.

Elle lui expliqua ce qu'elle se proposait de faire et il se porta volontaire pour l'aider. Ce n'était pas le courage qui manquait à notre curé : il dédiait la matinée à sa paroisse et le reste de la journée à Saint-Thomas.

Ignorant des techniques et méthodes dévolues au métier d'archéologue, il avait tout à apprendre, ce qu'il fit avec grand intérêt. Après quelques semaines d'entraînement, elle put lui confier la responsabilité de quelques sites tout en gardant pour elle les plus délicats. Bien que volontaire et excellent élève, elle craignait une faute grave du curé s'il trouvait des vestiges alors qu'elle était absente. Il y avait des précautions à prendre dans l'éventualité d'une trouvaille qu'elle ne lui avait pas encore enseignées.

Ils travaillèrent ainsi pendant plusieurs semaines, huit au total, avant qu'elle ne lui annonce un matin qu'elle devait quitter. Les cours, à l'université où elle enseignait, recommenceraient bientôt et elle devait y retourner. Le curé voulait poursuivre les fouilles même pendant son absence. Elle n'était pas particulièrement emballée par cette proposition mais savait fort bien que la détermination du curé était à l'épreuve d'un refus de sa part.

En raison de ces circonstances spéciales, elle lui donna toutes les instructions possibles en très peu de temps, une adresse de correspondance et surtout les coordonnées pour un éventuel télégramme s'il trouvait leur trésor.

Depuis qu'il avait débuté les offices du matin, un vieil homme qui venait se joindre au groupe de fidèles demeurait en retrait. Pendant plusieurs mois, il vint ainsi tous les matins ; tous acceptaient sa présence mais personne ne lui adressait la parole. Le curé n'en pouvant plus de cette situation, se résolut à aller lui parler pour lui demander la raison de sa présence.

— Cela est fort simple lui répondit l'intrus. J'aime vous entendre vous exprimer en latin. Je trouve que vous avez une belle voix pour ces mots dans cette langue ancienne.

À son étonnement, le vieil homme s'exprima en un français légèrement panaché d'un accent mi-anglais mi-hindi. Comment cet homme avait-il deviné que je pouvais m'exprimer dans cette langue étrangère, se demanda le curé ? Une fois cette première surprise passée, une deuxième l'attendait : la tonalité de sa voix était en tout point semblable à celle d'un être cher qu'il avait jadis connu. La tête lui tournait. Il ne savait que penser. Après quelques instants de silence, le temps de reprendre ses sens, il décida de poursuivre la conversation comme si de rien n'était. Il était ébranlé et il ne voulait surtout pas que son interlocuteur puisse deviner son état. Il désirait se donner le temps de bien analyser la situation.

— Alors pourquoi demeurer en retrait et ne pas vous joindre au groupe pour participer aux prières ?

— Les gens accepteraient difficilement qu'un adepte du yoga comme moi se mélange à eux. Même si les indiens sont très tolérants aux différentes religions ou pratiques spirituelles, ils sont susceptibles de fuir l'endroit et je ne voudrais pas que vous vous retrouviez avec un seul fidèle.

— Depuis mon arrivée en Inde, j'ai entendu parler du yoga et des choses extraordinaires que peuvent faire les maîtres du yoga. Accepteriez-vous de me le faire connaître ?

— Un peu, car pour le maîtriser vraiment, il est nécessaire de le pratiquer avec assiduité. Il faut savoir que le yoga n'est pas unique dans sa forme et ses pratiques. Il en existe plusieurs mais tous les yogas ont un seul but : vous faire réaliser que vous êtes plus qu'un corps et un mental.

Pour ma part, je pratique le Kriya yoga de Babaji. C'est une forme de yoga très semblable à celui d'un autre grand maître qui se nomme Patanjali et qui a mis par écrit ses pensées et ses recommandations qui me sont d'une grande utilité pour enseigner le yoga.

— À qui ai-je l'honneur de m'adresser?

— Personnellement, je porte le nom de Govindan et je pratique le yoga depuis une quarantaine d'années. Après quelques années d'entraînement intensif, ma vie était transformée. Terminés les doutes et les inquiétudes perpétuelles qui inondent l'esprit de l'être humain. Le yoga est une méthode éprouvée qui présente une démarche structurée qui a été expérimentée par les plus grands yogis.

— Vous n'avez pas encore prononcé une seule fois le nom de Dieu, est-ce que le yoga nie l'existence de Dieu ? S'il en est ainsi, poursuivre cette discussion n'est pas nécessaire.

— Au contraire, la pratique du yoga vous conduit graduellement à trois états. Le premier est celui d'être à proximité du Seigneur, le second d'être l'ami du Seigneur et le troisième d'être uni au Seigneur. Que demander de plus ?

Ce n'était pas ce qu'il venait d'apprendre qui contribua à diminuer le sentiment de scepticisme qui avait envahi le curé. Il n'avait jamais rien entendu de semblable de toute sa vie. Il aurait l'occasion de revenir sur le sujet.

Il avait maintenant la conviction que cet homme était plus que ce qu'il laissait voir. Le son de sa voix résonnait dans sa tête comme celui du vieux curé disparu sans laisser de trace. Il en avait l'intime conviction malgré l'invraisemblance de la situation. Il avait beau se trouver dans un pays qui pratiquait l'extraordinaire, il n'en demeurait pas moins que ses sens ne pouvaient le tromper. Mais comment savoir ? En parler ouvertement avec cet homme ? Il se rappela le début de leur entretien et la facilité avec laquelle le vieil homme s'exprimait en français, cela fut suffisant pour l'interroger sans perdre la face.

— Avant de poursuivre sur le sujet du yoga, j'aimerais que vous puissiez m'expliquer l'origine du français avec lequel vous vous exprimez si facilement ?

Le curé se trouvait fin renard de poser ainsi une question indirecte.

Govindan le regarda fixement, droit dans les yeux. Le jeune curé eût le curieux sentiment qu'il lisait dans son âme et que cette lecture serait déterminante pour la réponse à recevoir. Il avait raison. Govindan n'était pas un apprenti yogi et la pratique du yoga avait développé chez lui une très grande capacité intuitive à laquelle il pouvait recourir lorsque nécessaire.

— Il est vrai que toutes ces années en ce pays et la pratique du yoga ont eu des effets notables sur mon physique et l'apparence de celui-ci, à un point tel que seul un œil très averti peut percevoir la différence qui existe entre la morphologie indienne et la mienne qui est d'un autre continent.

Govindan suspendit la suite de sa réponse. Il voulait permettre au jeune curé de pousser son interrogatoire. Maintenant qu'il avait osé, il devait trouver la force de poursuivre et ainsi combattre sa réticence à l'idée de l'improbable.

Les idées les plus folles traversèrent l'esprit du jeune curé. Se pourrait-il que Govindan fusse un nom d'emprunt et que cet homme qui se tenait devant lui, droit comme un chêne, n'était autre qu'un canadien de langue française tout comme lui ? La certitude de ce fait était si grande qu'il en interrogea Govindan.

— Vous avez raison. Je ne suis pas de ce pays. Je suis arrivé ici il y a plus de quarante ans et j'ai aujourd'hui dépassé la soixantaine. J'ai émigré en ce magnifique pays à une époque où un voyage semblable dépassait l'entendement de mes compatriotes.

Je suis né dans un petit village du Québec, province d'un pays qui est aussi le vôtre. Votre accent ne ment pas.

Cet aveu sur l'origine de Govindan aurait du rassurer quelque peu notre jeune curé mais tel ne fut pas le cas. Trop d'inconnu demeurait. Il voulait en savoir plus. Il savait fort bien que nul, au Québec, ne pourrait recevoir le prénom de Govindan. Avec un tel prénom, il n'aurait pu être baptisé. Tous les représentants de la cure aurait refusé. Mais tout cela était secondaire, une explication plausible était tout à fait possible. Mais plus il l'examinait plus il lui reconnaissait des similitudes avec le vieux prêtre du séminaire. Ce dont il était certain : il ne pouvait s'agir de la même personne, alors quoi ?

Govindan poursuivit son récit.

— Je suis né dans un petit village en bordure d'un magnifique fleuve, le Saint-Laurent. Ma famille était assez bien nantie et mes parents ont donné la vie à une douzaine d'enfants, ce qui était considéré comme une famille nombreuse. Les représentants de l'église encourageaient fortement les grandes familles.

Mon frère et moi sommes les derniers nés, nous sommes jumeaux et il s'en fallut de peu que nous fussions trois mais le troisième est mort à la naissance. Je pense que cela valait mieux ainsi. Mon frère et moi avons eu longtemps l'impression d'être nés dans une famille qui ne nous ressemblait pas. Alors, deux à vivre ce sentiment était suffisant.

À la fin du cycle de l'école primaire, mes parents insistèrent pour nous envoyer poursuivre des études au séminaire. Ils voulaient absolument que des religieux composent leur famille. Cela leur conférerait un statut particulier dans le village.

Mon frère et moi, nous nous retrouvâmes donc comme pensionnaires et entreprîment les études qui conduisent au sacerdoce. Fort heureusement, nous aimions l'étude. Il y avait une grande bibliothèque susceptible de satisfaire notre curiosité grandissante des mystères de ce monde. Plus nous lisions, plus nous étions convaincus des demi-vérités que l'on y trouvait. Mais il n'était pas question d'abandonner. Nous étions trop jeunes et qui plus est, nous aurions été reniés par nos parents. Et cela, mon frère ne pouvait l'envisager avec sérénité. Il n'en était pas de même pour moi. J'attendais l'arrivée de ma vingt et unième année et la liberté qu'elle offrait pour quitter ce lieu.

— Alors, vous vous êtes enfui ? Et pourquoi l'Inde comme destination ?

— Mon frère avait mis la main sur un livre que j'ai encore avec moi et qui s'intitule «La Bhagavad Gîtâ». Il en avait débuté la lecture et après quelques heures me l'a remis en me disant qu'il n'y comprenait rien et que fort probablement, il s'agissait des élucubrations d'un poète fou. Pour ma part, ce que j'y ai lu m'a convaincu de venir poursuivre mes recherches en ce pays aux mille mystiques.

— Mais qu'est-ce que ce livre au titre aussi mystérieux qu'inhabituel ?

— Pour répondre à votre question, je me permets de vous citer la définition de Swami Chinmayananda :

«La Bhagavad Gîtâ, "Le Chant du Seigneur", occupe une place unique parmi les Écritures Sacrées de l'Inde, de par son approche pragmatique de la vie qui en fait un véritable guide. La Gîtâ affirme l'unité de la vie, et invite l'homme à découvrir celle-ci à travers l'action juste, au cœur même du combat de l'existence. Car, nous dit la Gîtâ, la vie est une bataille : rien en ce monde ne s'accomplit sans lutte. La vie elle-même est une alternance de trois phases – création, préservation, destruction – qui sont indissociables de l'activité incessante de la Nature».[31]

Ne vous inquiétez pas. La compréhension viendra en temps et lieu. Pour l'instant, ajouter quelque explication que ce soit ne ferait qu'augmenter la confusion.

---

[31] Swami Chinmayananda, *La Bhagavad Gîtâ*, Paris, Guy Trédaniel Éditeur, 2008, P. 6.

Le jeune prêtre fit comme si de rien n'était et poursuivi par cette question :

— Et pourquoi votre frère ne vous a-t-il pas accompagné ? On dit que le sang qui coule dans les veines de l'un est identique à celui qui coule dans les veines de l'autre et c'est pourquoi ils ne peuvent vivre loin l'un de l'autre pendant très longtemps !

— Si cela était vrai, mon frère et moi n'aurions pu survivre aussi longtemps séparés. Malgré tout ce qui nous unissait, nous étions fondamentalement différents sur un aspect : la capacité de désobéissance. Il savait fort bien qu'il ne pourrait trouver réponse à ses questions en demeurant au séminaire mais il ne pouvait pas envisager l'idée de quitter ce lieu sans l'autorisation de notre père. Ce dernier ne la lui aurait jamais accordée.

— Alors, le nom avec lequel vous vous faites identifier n'est certainement pas celui que vous avez reçu à votre naissance ?

— Effectivement. J'ai eu le grand honneur de rencontrer un swami du nom de Yogananda qui m'a initié au Kriya Yoga de Babaji. Ce fut une révélation. Après plusieurs années de pratique d'un yoga d'une école peu connue, j'ai fait la connaissance de ce swami lors d'une fête religieuse indienne. Il y a prononcé une allocution qui déchira le voile qui recouvrait mon âme. Je suis allé le rencontrer pour lui expliquer ce qui m'arrivait. Il m'invita à le rejoindre et il m'enseigna tous les Kriya de Babaji et les Sûtras de Patanjali. Et avant de quitter pour l'Amérique, il me demanda d'accepter le nom spirituel de «Govindan».

Notre jeune prêtre n'était pas arrivé au bout de ses surprises. Il demanda alors à Govindan s'il avait gardé le contact avec son frère pendant toutes ces années ?

— Malheureusement, cela ne fut pas possible. Après quelques correspondances, je reçu une lettre qui m'ordonnait de ne plus communiquer avec lui. Cette lettre provenait non pas de mon frère mais des autorités du séminaire qu'il n'avait jamais quitté. Il en fut ainsi pendant ces vingt dernières années.

— Vous ne savez donc pas s'il est encore vivant et ne connaissez pas les malheurs qui l'ont accablé toute sa vie durant ?

Govindan connaissait la réponse mais il hésitait à en instruire ce jeune incrédule. Il savait fort bien à qui il avait affaire et il ne voulait surtout pas l'effrayer à ce moment-ci de leur conversation. Mais c'est alors que le souvenir du rêve de son frère lui revint clairement à l'esprit et il comprit qu'il n'y avait pas de danger à répondre à sa question maintenant. Il débuta sa réponse ainsi :

— Vous êtes la première personne à qui je vais raconter le rêve que j'ai fait il y a plusieurs années, au moment du décès de mon frère. Je savais qu'un jour ou l'autre, je me retrouverais dans la présente situation. Mon frère m'en avait informé.

Je sais que mon frère est décédé dans une pitoyable situation et qu'il a été enseveli comme un indigent, sans nom et sans date.

— Comment savez-vous tout cela si vous n'aviez plus aucun contact avec lui ?

— Le jour précédent son décès, il m'est apparu en rêve. Il m'a raconté sa vie et m'a rassuré sur la satisfaction qu'il éprouvait d'avoir vécu ce qu'il a vécu. Il ne regrettait rien et me disait avoir la certitude de trouver bientôt toutes les réponses à ses questions. Ses prières et ses contemplations pendant toutes ces années passées en réclusion lui ont permis d'explorer son âme et une partie de la richesse qu'elle renferme. Il savait que, malgré notre séparation, nous avions pu survivre par l'aspiration sincère qui nous a toujours habités et qui nous a fait chercher chacun à notre manière.

Il me disait également avoir rencontré un jeune prêtre tout à fait semblable à celui que j'étais à cet âge. Ce jeune prêtre serait celui qui oserait entreprendre le voyage qu'il n'avait jamais voulu faire. Il me demandait de le recevoir comme un frère et de l'instruire de tout mon savoir.

Un silence suspendit le temps et l'espace. Govindan avait une plus grande habitude du silence que le jeune prêtre mais il ne voulut pas en abuser. Il poursuivit.

— Les doutes qui vous habitent sont tout à fait légitimes. Mais il n'y a qu'un seul moyen de savoir si ce que je vous dis est vrai ou pas, il vous faudra pratiquer les techniques du yoga. Essayez, vous n'avez rien à perdre, sauf peut-être du temps bien qu'il s'agisse là d'une notion très discutable. De plus, vous n'avez pas à renier votre foi en votre religion ni à l'abandonner. Au contraire, le yoga vous sera d'une grande utilité pour mieux saisir tous les enseignements de votre religion.

Le curé se laissa convaincre et débuta la pratique du yoga. Govindan commença par lui enseigner quelques techniques de base de respiration, de méditation et de posture. Il savait fort bien que les enseignements reçus au séminaire contrasteraient vigoureusement avec ceux du yoga classique. Outre quelques livres sur le sujet pour l'aider dans sa pratique à intégrer les paradoxes de la pensée «yogique» et à ne pas rebrousser chemin, Govindan lui proposa de méditer sur les aphorismes de Pantanjali. Voici le premier :

— *En cultivant les attitudes d'amitié envers ceux qui sont heureux, de compassion pour ceux qui sont malheureux, de joie pour les vertueux et d'équanimité pour les non vertueux, la conscience garde son calme impassible*[32].

— Pendant le temps nécessaire, vous allez méditer sur cette phrase et lorsque votre conscience aura atteint un certain niveau d'équanimité, je vous donnerai une autre phrase.

Le curé était tellement occupé qu'il en oublia même son coin de pays. Le travail à la paroisse, les fouilles et la pratique du yoga occupaient toutes ses journées et une partie de ses nuits. Il ne s'en plaignait pas car toutes ces activités lui procuraient un grand réconfort.

Malheureusement, ses fouilles ne donnèrent aucun résultat, il ne trouva rien d'intéressant même pour un archéologue amateur comme lui.

Une année s'écoula et tel que promis, la belle revint à Madras. Elle prit connaissance des travaux du curé et s'en montra très satisfaite. Elle fut même surprise par la qualité du travail. Pendant les deux mois qui suivirent, ils s'affairèrent tous les deux à explorer des lieux qu'ils avaient négligés croyant, à l'époque, que ce serait peine perdue. Ce fut sans résultat. Elle donna quelques instructions et repartit de nouveau. Le curé avait remarqué que l'enthousiasme de la belle archéologue n'était plus le même mais le sien était demeuré intact.

Le yogi lui confia une deuxième phrase sur laquelle méditer :

— *Par le contentement, la joie suprême est obtenue*[33].

---

[32] Govindan, Marshall, *Les Sûtras du Kriya Yoga de Patanjali et des 18 Siddhas*, Eastman, Les Éditions Kriya Yoga de Babaji, 2002. P. 44.

[33] Ibid., P. 110.

Même s'il trouvait la pratique de la méditation très difficile, il commençait, mois après mois, à en apprécier les bienfaits. Il était même content d'avoir une nouvelle phrase sur laquelle méditer. Il considérait avoir fait le tour de la première et en saisir l'essentiel, du moins c'est ce qu'il croyait.

Pour s'encourager, il imagina une métaphore qui comparait la pratique du yoga à la fabrication des confitures par sa grand-mère. La recette était simple : une livre de fruits pour une livre de sucre. Les deux ingrédients étaient cuits ensemble et une heure ou deux plus tard, les confitures étaient prêtes. Sa métaphore remplaçait les fruits par l'être humain et le sucre par le yoga pour produire la transformation désirée. Une différence par contre qui avait toute son importance : le yoga agissait comme un grain de sucre ajouté tous les jours. La dissemblance entre les deux recettes était le temps que nécessitait la transmutation : pour la première, quelques heures, pour la deuxième, toute une vie et plus encore.

Une seconde année s'écoula comme la première ; des offices à la chapelle, du yoga et des fouilles stériles. Mais le curé était moins déçu des résultats des dernières fouilles que de ceux de l'année précédente, il commençait à s'habituer à creuser des trous et à les remplir. Il s'était surpris à quelques reprises à en éprouver du contentement comme s'il avait trouvé. Était-ce le yoga qui produisait son effet de confitures ?

Au printemps, il écrivit une lettre à l'archéologue pour lui faire rapport des résultats de leurs travaux. Elle lui répondit qu'elle ne reviendrait pas à l'automne comme prévu. Elle l'informa des doutes qui avaient commencé à l'assaillir. Elle était maintenant d'avis que les écrits de Saint-Thomas ne se trouvaient pas en Inde. Des chercheurs étrangers avec qui elle était en contact avançaient l'hypothèse qu'ils pourraient bien se trouver en Égypte.

Le curé n'en éprouva pas vraiment de surprise et fut même un peu soulagé. Il avait fait tellement de trous dans tous les endroits possibles qu'il ne savait plus où donner de la pioche. Une autre année s'écoula et le yogi confia une autre phrase pour la méditation du curé :

— *À cause de la superposition entre eux des mots, des buts et des intentions, il se produit de la confusion ; toutefois, par la communion concentrée sur leur distinction, la connaissance de toutes choses est acquise*[34].

---

[34] Ibid., p. 141.

— Elles sont difficiles à méditer vos phrases, de plus en plus difficiles. Pourriez-vous m'aider un peu avec celle-ci ?

— En d'autres circonstances, j'aurais refusé mais vous quitterez le pays un jour et vous n'aurez pas le loisir de recevoir toutes les phrases même si après dix ou douze ans de pratique intense vous pourriez en accueillir plusieurs.

— Vous m'effrayez. Combien de phrases Patanjali a-t-il répertoriées dans son traité ?

— Cent quatre-vingt quinze.

Mais pour celle-ci, laissez-moi vous dire qu'en général, les personnes ne font pas la distinction entre un objet, son nom et le son de son nom. Les effets produits par l'utilisation des mots correspondent à la signification et à l'énergie intrinsèque du mot employé. Soyez conscient des paroles que vous vous dites à vous-même et que vous dites aux autres. Imaginez qu'elles sont assez puissantes pour se concrétiser.

Le curé décida d'augmenter le temps consacré à la pratique du yoga et de diminuer celui pour les fouilles. Se répétant cette décision à lui-même, il réalisa pour la première fois que la découverte du manuscrit de Saint-Thomas occupait moins de place dans son esprit. Plus il creusait à l'intérieur de lui-même, moins il creusait autour de la basilique.

Il avait grande hâte de recevoir une autre phrase qu'il espérait plus simple que la précédente mais sans vraiment y attacher d'importance. Govindan avait certainement deviné son état car voici la phrase qui lui fut remise :

— *Le détachement est le signe de la maîtrise de celui qui voit et entend parler d'un objet sans le désirer*[35].

Il n'abandonna pas complètement les fouilles. Il les poursuivit même si la découverte du manuscrit n'était plus prioritaire, pour le simple plaisir de l'exercice et aussi parce qu'il voulait maintenir le contact avec l'archéologue. Si un jour, elle trouvait, il en serait heureux et aimerait partager cette connaissance, il ne serait pas malheureux pour autant si les fouilles en d'autres pays ne donnaient pas de meilleurs résultats.

---

[35] Ibid., P. 17.

Govindan et le curé continuèrent de se rencontrer à intervalles plus ou moins réguliers. Govindan avait le sentiment du devoir accompli à l'égard de son frère. Le jeune curé était maintenant trop avancé pour que Govindan craigne un rejet de sa part. Les méditations sur les Sütras de Patanjali lui avaient fait comprendre le sens caché des paroles de l'Évangile. Il en était profondément reconnaissant au vieux curé du séminaire, celui qui avait sacrifié sa vie pour l'initiation d'un jeune inconnu. Il était maintenant convaincu que le vieux curé avait refusé de suivre son frère non pas en raison de son incapacité à désobéir mais bien pour réaliser le destin de son âme.

Govindan savait que son temps achevait et qu'il devrait bientôt quitter ce corps fidèle et dévoué qui l'avait si bien servi. Il savait également qu'il serait bientôt grand temps de transmettre un Sütra majeur à son élève. Ainsi, un matin d'automne, il demanda au jeune prêtre de venir le rejoindre à sa résidence. Cette demande surpris grandement le jeune curé. Une seule fois, pendant toutes ces années, Govindan l'avait invité à sa demeure et c'était à l'occasion de la visite d'un swami du nom de Yogananda.

Voici donc un Sütra majeur de Patanjali pour lequel je demande toute votre attention. C'est le dernier que je vous transmets :

— *Tout comme le cristal pur prend les couleurs ou les formes des objets qui l'environnent, l'absorption cognitive se produit quand les fluctuations de la conscience ayant été réduites, celui qui connaît, ce qui est connu, et leur relation devient indiscernable*[36].

Govindan prit la position de méditation et invita le jeune curé à faire de même. Une trentaine de minutes s'écoulèrent et Govindan s'approcha du jeune prêtre. Il plaça légèrement sa main sur la tête du jeune prêtre et celui-ci entra en état de samadhi. Il demeura dans cet état jusqu'en début de soirée. À ses côtés, Govindan le guidait par la force de sa pensée pénétrante.

Le jeune prêtre reprit ses esprits. Plus jamais, il ne verrait la vie de la même manière. Il avait perçu l'infinitude du divin et comprit que cette perception était une première ouverture et que le chemin à parcourir était encore long. Le désir de connaître la vérité faisait maintenant place à l'aspiration du divin, tout simplement, car là se trouvait la vérité. Il avait compris également que toutes les vérités, même les plus aberrantes à ses yeux, étaient partie intégrante de la Vérité.

---

[36] Ibid., P. 52.

Il remercia Govindan de la grâce accordée. Il s'en retourna chez-lui le cœur content malgré la certitude qu'il ne reverrait plus Govindan, la mission de l'âme de ce dernier étant terminée.

Le jeune curé demeura en Inde jusqu'à la fin de la deuxième guerre mondiale. Et à l'automne de l'année 1945, il s'en revint dans son village, l'âme tranquille.

Chapitre Douze : Un secret bien gardé

Malgré l'heure matinale, le soleil est bien présent et nous réchauffe tout le corps sans se soucier de notre confort. Grand-père n'est pas incommodé par ces rayons insistants et pas plus par les moustiques qui s'en donnent à cœur joie. Grand-père a compris depuis longtemps qu'il était inutile de les chasser, ils reviennent continuellement à la charge. Mais moi, je persiste à croire que la peur de se faire écraser les incitera à renoncer et cela fait bien rire grand-père. Il me répète régulièrement que les moustiques sont bien plus tenaces que moi et que contrairement aux humains, ils ne connaissent pas la peur.

Mais ce matin, grand-père me semble préoccupé. Je ne l'ai pas vu ainsi depuis qu'il a débuté son histoire, à vrai dire, je ne l'ai jamais vu ainsi. Nous nous assoyons à nos places habituelles et grand-père garde le silence. Je le sens inquiet. C'est probablement la première fois que je le vois dans cet état. Cela me rassure un peu. Non pas que je sois content de le voir inquiet mais bien d'observer chez-lui une attitude très humaine que nous avons tous et qui semblait lui faire défaut.

Il se lève et marche en ma direction, l'air grave, très grave. Il s'accroupit et place ses mains sur mes genoux et me regarde droit dans les yeux. Je ne sais pas ce qu'il cherche à voir. Il se relève et s'en retourne à sa place.

— Je pense qu'il est grand temps que je t'informe de quelques détails importants que je n'ai pas encore osé te dire. Je ne savais pas si tu étais prêt à entendre et surtout capable de garder le silence jusqu'au moment opportun. Je suis maintenant d'avis que oui.

C'est ainsi que grand-père sortit de sa torpeur et retrouva son air de conteur. Il ferma les yeux et poursuivit ainsi :

— Je t'ai dit peu de choses au sujet de ta grand-mère et tu as été discret. Je t'en suis reconnaissant. Le moment n'était pas encore venu et j'espérais le voir arriver au plus tôt. Aujourd'hui est le moment. Mais avant de débuter, malgré ma certitude, j'ai besoin de ta confirmation que tu vas garder secret tout ce que je vais te raconter au sujet de ta grand-mère et cela jusqu'au jour où tu écriras cette histoire.

— Bien sûr, grand-père, je te le promets et tu peux compter sur ma discrétion.

— Alors, apprends aujourd'hui que ta grand-mère n'est pas celle que tu crois. Elle n'est pas de ce village. Je suis aujourd'hui, le seul vivant en ce village à connaître son origine. Dans quelques instants, tu seras le second.

Il ouvrit les yeux, le temps de s'assurer que j'étais encore là.

— Il y a de cela un grand nombre d'années, le père de ta grand-mère, alors âgé d'une vingtaine d'années quitta le village pour aller faire fortune aux États-Unis, aux States, expression fétiche employée par les habitants de la région. Après avoir obtenu la permission de ses parents, il partit tôt un vendredi matin pour se rendre à la gare ferroviaire la plus près. Son père attela la jument et l'accompagna. Pas un mot ne fut échangé entre eux pendant tout le trajet. Les hommes étaient peu bavards à cette époque, habitués de vivre et travailler seuls en forêt, ils n'avaient pas développé l'habileté de converser. Ils considéraient comme une perte de temps et d'énergie de parler de ce qui pouvait trotter dans leur tête. Ils préféraient y jongler, bien à l'abri des commentaires de tout un chacun.

Il s'embarqua à bord du train avec pour seul bagage un vieux sac en toile utilisé par les bûcherons lorsqu'ils vont au chantier en hiver. Un vieux du village lui avait indiqué un endroit reconnu pour ses richesses et leur facilité d'extraction. Il ne lui avait pas dit en quoi elles consistaient et le père de ta grand-mère n'avait pas cru important de s'en informer.

Après six jours de voyage, il débarqua dans une petite ville du nom de Dahlonega sise dans l'état de la Georgie. La ville est voisine d'Auroria, site d'exploitation aurifère découvert en 1827.

L'information donnée par le vieux du village était exacte sauf qu'elle faisait référence à une époque révolue. Le site aurifère avait été abandonné depuis longtemps et seuls quelques indiens s'y trouvaient. Malgré l'expulsion des Cherokee de ce territoire en 1831, une tribu y revint s'installer, la Bande Etowah. Comme elle n'était pas dérangeante, les citoyens du territoire la toléraient.

De toute évidence, le père de ta grand-mère ne deviendrait pas prospecteur d'or et son rêve de devenir riche rapidement venait de s'évaporer. Une seule solution se présentait à lui, pratiquer le seul métier qu'il connaissait : bûcheron.

Il se présenta chez un grand exploitant forestier pour se faire embaucher. Après avoir décliné nom et origine, il fut engagé sur le champ. On connaissait la réputation des canadiens et on savait fort bien qu'ils étaient d'excellents travailleurs et que la grosse ouvrage ne leur faisait pas peur. Le salaire était excellent.

Rapidement, il se fit remarquer par son ardeur au travail et le patron lui confia la supervision d'une équipe de vingt forestiers. Les débuts furent difficiles. Se faire diriger par un étranger n'était pas dans les coutumes des gens du pays mais ses habiletés à couper le bois suscitèrent l'admiration et tous l'imitèrent. Une année s'écoula et son équipe battit tous les records de coupe.

Comme il n'était pas américain, on lui confia un territoire de coupe situé près d'Auroria. Les arbres abattus il y a plus de cinquante ans étaient prêts à nouveau à recevoir la visite des bûcherons. Le patron se disait qu'un canadien serait mieux reçu qu'un américain sur ces terres voisines du territoire de la tribu Cherokee. Le patron avait vu juste mais pour des raisons différentes. Cette tribu n'en était pas une qui cherchait la controverse et la querelle. Les membres de cette tribu étaient reconnus pour leur grande sagesse et leur piété.

Un jour que le père de ta grand-mère se rendait rejoindre ses hommes après avoir reçu quelques instructions de son patron, il aperçut une jeune indienne qui cueillait des petits fruits. C'était la première fois qu'il avait l'occasion de rencontrer un membre de la tribu. Tous s'étaient montrés très discrets. Que faisait donc cette jeune femme, loin des siens ? Elle s'était peut-être égarée malgré l'improbabilité d'une telle situation ? Telles étaient les questions du père de ta grand-mère.

Surprise, elle le regarda sans sourciller. Elle était aussi jeune que lui. Pleine de grâce et de souplesse, elle poursuivit sa cueillette. Il s'approcha et voulut entreprendre la conversation. Après les salutations d'usage, ils échangèrent quelques mots, le temps de prendre la mesure de l'autre.

Pendant les semaines qui suivirent, la jeune fille se retrouva à plusieurs reprises sur le chemin du canadien. Chaque fois, ils échangèrent quelques mots, afin de s'apprivoiser.

Et un jour, comme on pouvait s'y attendre, la jeune indienne invita notre canadien à se rendre au village de la tribu. Elle avait informé le chef et sa famille de l'éventuelle visite d'un étranger différent des autres. Ils ne furent donc pas surpris de le voir arriver en sa compagnie.

Très rapidement, le chef remarqua l'attirance qu'ils avaient l'un pour l'autre. Il voulut en discuter avec la jeune fille qui se trouvait également sa nièce puisqu'elle était la fille de son frère. Il était conscient du danger que pouvait représenter une idylle entre jeunes gens de cultures différentes après les événements des dernières décennies. Ils savaient les blancs réfractaires à la présence des indiens et ne voulait pas que sa nièce subisse les affres d'une telle union.

Le jeune canadien était vraiment épris d'elle. Il lui déclara son amour et sa volonté de la rejoindre dans son village pour y vivre avec elle et son peuple. Les membres de la tribu avaient reconnu en lui un homme honnête et intègre. Il fut accepté par tous. Il s'installa donc au village et poursuivit son travail de bûcheron pour son patron. Comme il n'était pas américain, ses compagnons ne lui témoignèrent aucune animosité. On pensait qu'il n'avait plus toute sa raison de vouloir vivre à l'indienne mais il était canadien et ces canadiens étaient tous un peu fous à leurs yeux.

Quelques années passèrent et un jour merveilleux arriva. La femme du canadien donna naissance à un enfant, le premier enfant métis du village, une fille de surcroît. Vu ces circonstances, il était maintenant plus que nécessaire d'initier le canadien à la Tradition Ancestrale. Quelques-uns manifestèrent leur désaccord mais après délibération, ils acceptèrent à une seule condition : le canadien devait promettre de ne révéler à qui que ce soit les enseignements qu'il recevrait. Le peuple américain n'était pas encore prêt à entendre et tous devaient patienter que le temps propice se présente. Le canadien comprit et en fit la promesse solennelle.

Toutefois, les événements empruntèrent une tournure malheureuse. La jeune femme du canadien, prise d'un mal étrange, rendit l'âme alors que leur jeune enfant n'avait pas encore vu ses douze premières lunes.

Le canadien fut accablé par la tristesse au point qu'il voulut attenter à sa vie. Le chef lui rappela les enseignements sacrés et sa responsabilité envers l'enfant de sa bien-aimée. Les indiens du village étaient étonnés des sentiments du canadien, ils n'auraient jamais pensé qu'un blanc puisse ainsi aimer une indienne. Ils étaient admiratifs et l'exemple de ces deux âmes leur laissait entrevoir un avenir meilleur pour leur peuple.

Quelques mois plus tard, une obsession faisait incursion dans la tête du canadien : s'en retourné dans son village natal. Il savait que ses frères indiens chercheraient à le convaincre de rester mais sa décision était arrêtée. Il en parla au grand chef et à sa grande surprise, celui-ci lui avoua qu'il s'y attendait et lui souhaita bon voyage de retour.

Par contre, il fixa une condition, une seule : celle de permettre à sa fille de revenir au village de ses ancêtres avant sa majorité afin d'y être initiée par sa grand-mère, grande prêtresse de la lignée Ywahoo. Malgré son âge avancé, elle saurait attendre. Connaissant l'importance de ce savoir, il accepta.

Les femmes du village lui fabriquèrent un berceau du nom de nez-percé qu'il pourrait installer sur son dos et dans lequel l'enfant pourrait prendre place. Il permettrait à l'enfant de voyager avec son père en toute tranquillité et de dormir la nuit en toute quiétude.

Avant de quitter, le grand chef remit un cadeau au canadien. Il savait que celui-ci était venu en cette lointaine contrée pour faire fortune et qu'il s'en retournerait les poches vides. Les membres de la tribu avaient appris à leurs dépens la valeur que représentait l'or aux yeux des blancs et c'est pourquoi ils en avaient quelques réserves. Il en donna une bonne quantité au canadien pour lui permettre de bien s'installer de retour chez-lui et pour assurer le meilleur environnement possible pour la petite.

C'était l'automne et le canadien sentait l'air frais de son pays en cette saison lui parvenir au nez. Il avait grande hâte de revoir les siens malgré l'incertitude de la réception qu'il recevrait en raison de la présence de son enfant.

Ils prirent le moyen de transport le plus sécuritaire de l'époque : le chemin de fer qui les amena jusqu'à Montréal. L'enfant se porta bien pendant tout le voyage mais en traversant la frontière, elle fut prise d'un mal étrange. Elle avait des convulsions et remuait la tête de gauche à droite comme si elle ne voulait pas aller plus loin. Le pauvre canadien ne savait que faire. Une jeune femme qui avait fait le voyage dans le même wagon lui conseilla de se rendre chez la Congrégation des Filles de la Sagesse. Il s'agissait d'une nouvelle congrégation dévouée à la santé des enfants. Il y trouverait des religieuses infirmières qui pourraient donner des soins à son jeune bébé. Elle offrit de l'accompagner puisqu'elle s'y rendait également. Il accepta son invitation.

Il était complètement désemparé. L'idée de perdre cet enfant chéri lui causait de grandes douleurs. L'enfant gémissait pendant une heure ou deux puis sans raison apparente elle perdait conscience. La première fois que cela se produisit, le canadien crut qu'elle était morte. Il pleura sans retenue jusqu'au moment où les pleurs reprirent. Il se montra soulagé malgré l'incongruité de l'événement. Il en fut ainsi jusqu'à leur arrivée chez les religieuses.

Grand-père ouvrit les yeux. Il savait que mon cœur battait fort et ne voulait surtout pas que je perde ma concentration. Le voyant ainsi, je risquai la question qui me hantait depuis plusieurs minutes.

— Grand-père, est-ce que je dois comprendre que j'ai du sang indien qui coule dans mes veines ?

— Oui, mon garçon.

— Pourquoi me l'apprendre maintenant et pourquoi, mes frères, mes sœurs et moi avons-nous été tenus dans l'ignorance aussi longtemps ?

— Parce que votre bonheur n'aurait pas été plus grand si vous l'aviez su, tout simplement.

Rappelle-toi que tu m'as promis de n'en rien dire avant l'écriture du livre !

— Mais grand-père, si vous m'aviez dit l'importance du secret, je n'aurais rien promis. Je ne suis pas certain de vouloir entendre la suite de votre histoire. Comment vais-je vivre en paix sachant ce secret familial ?

— Tu as raison mon garçon, j'ai présumé de tes forces et j'ai peut-être abusé vu ton jeune âge. Je te demande de m'en excuser.

Nous allons terminer là pour aujourd'hui. Réfléchis à tout ça et tu me diras demain si je poursuis.

(Je m'en retournai à la maison. J'étais bouleversé. Ma grand-mère est indienne et personne ne le sait, y compris mes parents. C'est une histoire absurde. Je pense que grand-père a tout imaginé. Il en est bien capable. Il se pourrait bien qu'il ait tout inventé depuis le début. C'est vrai, personne au village ne connaît son origine et celle du curé.)

Notre jeune garçon connut la nuit la plus agitée de sa courte vie. Il rêva qu'il était habillé en indien et qu'il vivait dans un village semblable à ceux vus en photo. C'était horrible. Tous avaient l'air malheureux. Pendant ce rêve, un vieil indien s'approcha de lui et le rassura en lui disant de ne pas trop s'en faire par ce qu'il voyait : «Un jour, pas très loin, le peuple indien de toutes les nations saura renouer avec l'âme ancestrale et retrouver la paix, la sagesse et le bonheur de la vie sur terre».

Le lendemain matin, grand-père lisait la fatigue sur mon visage et me proposa de reporter notre discussion. Je lui répondis que cela n'était pas nécessaire, que j'avais bien réfléchi et que j'étais prêt à entendre la suite. Je lui confirmai que je respecterais mon engagement tel que promis. Il ne me demanda aucune explication. J'avais l'impression qu'il devinait ce qui se passait au plus profond des êtres.

— Maintenant que tu connais le principal, il faut que je te prévienne que tu auras droit encore à quelques surprises même si elles sont de moindre importance que celle d'hier.

— Si elles sont de moindre importance, pourquoi m'en inquiéterai-je ? Vous pouvez poursuivre grand-père.

Chapitre Treize : Le pèlerinage de la grand-mère

Arrivés à la maison des Filles de la Sagesse, ils s'empressèrent de rencontrer la sœur infirmière en chef afin de lui faire voir l'enfant. Sans tarder, elle prit l'enfant dans ses bras et l'examina tout en demandant au père de lui donner les détails symptomatiques qu'il avait remarqués.

La religieuse se voulait rassurante mais elle avait une bonne idée de la maladie dont souffrait la petite. Elle informa le père qu'il s'agissait de la variole, une maladie dangereuse et contagieuse. Fort heureusement, la maladie débutait à peine chez l'enfant et les religieuses connaissaient les meilleurs traitements pour soigner cette maladie lorsqu'elle était prise à temps.

Par contre, l'enfant, le père et l'étrangère qui les accompagnait devraient être placés en quarantaine le temps nécessaire, en raison du danger de propagation. Ils furent isolés dans une partie encore inhabitée de leur grande maison. Les religieuses leur fournirent tout le nécessaire pour subvenir à leurs besoins essentiels.

La jeune étrangère se dévoua corps et âme auprès de l'enfant. Elle lui accorda toute l'attention que demandait une telle situation. Elle voyait bien que le père était désemparé et ne savait que faire pour prendre soin de son enfant. Rares étaient les hommes à cette époque qui avaient la connaissance nécessaire pour s'occuper d'un enfant même en bonne santé.

Cet enfant était toute sa richesse et il ne voulait pas que la maladie la lui arrache. Au moment où ces pensées traversaient son esprit, il se rappela la promesse faite au grand chef du village. L'enfant ne devait donc pas mourir avant d'être retourné dans son village natal. La grand-mère l'attendait.

L'hiver approchait à grand pas et l'enfant se rétablissait lentement. Il ne voulait pas quitter cet endroit paisible dans la tourmente des tempêtes et risquer une rechute pour l'enfant. Il demanda donc la permission d'habiter dans la grande maison des religieuses jusqu'au printemps, ce qui lui fut accordé.

La quarantaine étant terminé, le canadien s'affaira à l'entretien de la maison et la jeune étrangère se dévoua auprès des enfants malades que les religieuses soignaient avec amour et dévotion. Elle continua néanmoins de veiller sur l'enfant du canadien. Elle s'était beaucoup attachée à l'enfant et s'en occupait comme une mère.

Le canadien avait bien remarqué toute l'attention que lui accordait la jeune étrangère et cela lui procurait une grande joie car il savait son enfant entre bonnes mains. Il appréhendait le jour du départ. Il redoutait ce retour avec un enfant sans mère.

Raconter son histoire aux villageois n'était pas envisageable, ces gens, malgré leur grand cœur, étaient très ignorants du monde extérieur et ne pourraient pas comprendre. Son enfant serait rejeté pour deux bonnes raisons à leurs yeux : il était de race indienne et il n'avait pas de mère.

Les mois passèrent, l'enfant était parfaitement rétabli et il serait bientôt temps de quitter cet oasis. Le canadien avait remarqué que la jeune étrangère aimait beaucoup son enfant et que la réciproque était également vrai. Pouvait-il seulement envisager de les séparer ? La jeune femme était d'une grande patience et en toute circonstance, elle était d'une bienveillance exemplaire.

Même si je n'ai pas rapporté les conversations que le canadien et la jeune étrangère ont tenues, il faut que tu saches mon garçon qu'ils s'appréciaient mutuellement et qu'un grand respect s'était installé entre les deux.

Le canadien était tout à fait conscient que le sentiment qu'il éprouvait à l'égard de cette femme était très différent de celui ressenti envers la mère de son enfant. Mais l'amour qu'elle éprouvait pour l'enfant était plus important à ses yeux que ses propres sentiments. Il n'avait pas osé aborder le sujet avec l'étrangère. Il savait peu de choses d'elle sinon qu'elle était orpheline et qu'elle était venue à Montréal pour s'engager auprès de la Congrégation des Filles de la Sagesse.

Plus que quelques jours avant son départ.

Le soir tombait. Ils étaient seuls dans la grande pièce qui leur servait de cuisine, l'enfant dormait et les étoiles montraient timidement leur première lumière. Le canadien marchait et ne disait mot. Il s'arrêta et s'approcha de la jeune étrangère. Elle devinait son angoisse. Alors, elle prit la parole.

— Je sais que les sentiments que vous éprouvez à mon égard ne sont pas ceux de l'amour mais sachez que je vous estime beaucoup et que j'aime votre enfant comme si elle était ma propre fille.

La surprise passée, il se ressaisit et lui demanda de l'épouser. Il fixa cependant une condition.

— Si vous acceptez de devenir ma femme, il vous faudra vous comporter comme si vous étiez la mère légitime de ma fille. Elle ne doit pas apprendre avant le moment propice que vous ne l'êtes pas. Ainsi, elle ne connaîtra pas son origine indienne.

— S'il en est ainsi, il nous faut trouver un prêtre qui accepte de marier une fille mère. Les Filles de la Sagesse devraient pouvoir nous y aider sans les obliger à mentir, ce qu'elles ne sauraient faire.

Ils se marièrent dans la chapelle attenante à la maison des religieuses. Le jardinier et sa femme acceptèrent de jouer le rôle des témoins. Le mariage fut célébré dans la plus grande simplicité.

Dès le lendemain, le canadien acheta deux chevaux, une carriole et ils suivirent le chemin du Roy pour s'en retourner dans son village natal. Voilà maintenant trois longues années qu'il l'avait quitté. On le pensait mort. Pendant tout ce temps, il n'avait donné aucune nouvelle. La surprise fut grande de le voir revenir, marié et avec un enfant. Il n'avait pas vraiment changé, pas plus bavard qu'avant son départ.

Il raconta au curé du village qu'il avait perdu tous ses papiers pendant le voyage en raison d'un orage violent et lui demanda d'en émettre de nouveaux. Dans les petits villages, la parole d'un paroissien n'est pas remise en question. Il indiqua les dates nécessaires à corroborer les événements du mariage et de la naissance. Ainsi, le secret serait bien gardé et à l'abri des mauvaises langues.

Les années s'écoulèrent paisibles et sans problème. L'enfant grandit en toute quiétude et personne ne sut ses origines.

Tout était si tranquille que le canadien en oublia même la promesse faite au grand chef indien jusqu'au jour où un jeune curé vint remplacer celui devenu trop malade pour bien servir ses ouailles.

Tous étaient convaincus que l'archevêché confierait la paroisse à un curé d'expérience mais tel ne fut pas le cas. Quelques-unes des paroissiennes manifestèrent leur mécontentement à l'évêque car l'idée de devoir confier leurs péchés ou leurs maladresses à un jeune homme les rebutaient profondément. Une lettre de l'évêché les enjoignit d'accepter la décision et leur rappela leur devoir d'obéissance. Ce qu'elles firent sans plus d'insistance.

Ce jeune curé était à peine plus âgée que la fille du canadien. Elle manifestait une foi en Dieu qui surprenait et très souvent elle se rendait à l'église pour y prier et cela à toute heure du jour et même en soirée. Elle se fit remarquer rapidement par le curé et il voulut mieux connaître cette jeune femme si pieuse. C'est ainsi qu'il l'invita à quelques reprises à lui rendre visite au presbytère après la cérémonie du matin à laquelle elle assistait régulièrement.

Il observa chez elle une grande sensibilité et une belle curiosité à l'égard des sujets spirituels. Ils discutaient de la présence de Dieu dans leur vie et des divers moyens pris par celui-ci pour se manifester. Les lectures qu'elles avaient faites sur la vie des saints lui confirmèrent la présence d'une spiritualité peu commune chez une jeune femme née dans un village éloignée des institutions religieuses reconnues.

Mais les questions qu'elles posaient étaient très semblables à celles pour lesquelles il n'avait pas encore trouvé réponse. Il n'était donc pas question de la diriger vers un ordre religieux.

Au fil des mois, leurs rencontres se faisaient de plus en plus fréquentes à un point tel que des paroissiennes s'inquiétèrent de les voir si souvent ensemble. Elles considéraient que le jeune curé outrepassait ses devoirs et qu'il risquait de mettre en péril son vœu de chasteté. Sachant que l'évêché risquait de faire la sourde oreille à leur supplication, elles décidèrent d'en parler au père de la jeune femme qui était respecté par tous. Ce qu'elles firent avec un certain plaisir.

Le canadien ne fut pas surpris par leur démarche. Il avait lui aussi remarqué que sa fille et le jeune curé se retrouvaient souvent ensemble. Mais le canadien comprenait très bien l'ardeur de sa fille pour la spiritualité et savait fort bien que ses sentiments à l'égard du curé étaient dépourvus de toute intention indécente. Il promit néanmoins d'intervenir afin que cette situation cesse.

Il demanda à sa fille de faire preuve de plus de réserve et de ne plus se présenter au presbytère sans la présence d'une tierce personne. Elle refusa.

Elle se rendit au presbytère et informa le curé de la démarche des paroissiennes et de l'ordonnance de son père. Il était très chagriné à l'idée de se séparer de la seule personne avec laquelle il pouvait discuter de ses doutes sans craindre l'opprobre. Il savait par contre qu'il ne pouvait en être autrement.

Comme ils ne pourraient plus se voir en toute tranquillité, il décida de lui remettre le traité sur la sagesse amérindienne que lui avait prêté le vieux curé du séminaire avant de décéder. Il considérait ces textes comme les plus beaux qu'il ait eu l'occasion de lire à ce jour. Il pensait que la jeune femme pourrait y trouver quelque baume pour son âme en peine.

De retour à la maison paternelle, elle s'empressa de faire voir le document à son père pour bien démontrer la nature des relations qu'elle entretenait avec le jeune curé.

Il le prit dans ses mains. En apercevant le titre, il demanda à sa fille de pouvoir le consulter avant qu'elle ne le fasse elle-même. Elle trouva sa demande un peu étrange mais acquiesça bien candidement. En soirée, le canadien, tranquille dans son bureau, fit la lecture du premier chapitre. Il reconnut rapidement quelques-uns des enseignements reçus lors de son séjour dans la tribu Cherokee.

Il savait que le temps était venu de révéler à sa fille son origine, sa naissance et le nom de sa mère biologique. Il était reconnaissant à sa femme d'avoir respecté ses engagements et il ne voulait surtout pas que sa fille tienne rigueur à sa mère adoptive pour ce secret bien gardé. Il hésita quelques jours, attendant le moment propice pour aborder ce sujet délicat. Il ne doutait pas de la capacité de sa fille à faire la part des choses mais il était conscient que cela risquait de lui causer un traumatisme important.

Comme sa femme devait s'absenter pour rendre visite à une amie malade qui habitait le village voisin et qu'elle était susceptible d'y demeurer quelques jours, il attendit ce moment.

Il ne voulait pas discuter du sujet entre les murs d'un bureau ou même ceux de la maison. Il connaissait l'amour de sa fille pour la forêt et il l'invita donc à l'accompagner lors de la visite d'un chantier. La distance à parcourir était suffisamment longue pour leur permettre de converser et de s'expliquer si nécessaire.

Pour arriver à destination, ils devaient traverser une rivière qui, à cet endroit du trajet, coulait doucement sans bruit pour permettre aux confidences de se révéler avec délicatesse. Ils s'y arrêtèrent. La jeune fille avait deviné que le moment était de la plus haute importance. Pour faciliter la tâche à son père, elle lui fit savoir qu'elle attendait ce moment depuis longtemps et qu'elle avait grande hâte qu'il lui révèle le secret qui l'habitait. Elle le rassura en lui disant que son amour et celui de sa mère lui permettaient de faire face aux plus grands dangers de la vie.

— Je te remercie ma fille. Il est vrai que je ne puis me taire plus longtemps. Il ya de cela une vingtaine d'années, j'ai fait une promesse qu'il est maintenant temps de respecter. Cette promesse a été faite suite à un événement grave qui a nécessité un engagement tout aussi important de ta mère.

La jeune fille écoutait paisiblement. Elle regardait l'eau se faufiler entre les cailloux et attendait la suite de cette révélation anticipée depuis longtemps. Pendant toute son enfance, elle se savait différente des enfants de son âge mais ignorait la nature de cette dissemblance. Jamais elle n'avait osé manifester ses interrogations auprès de ses parents par crainte de les blesser.

— Avant de poursuivre, il faut que tu saches que le silence a été gardé pour ta protection et que ta mère a été exemplaire à cet égard. Je lui suis reconnaissant de tout l'amour qu'elle t'a témoigné.

Pendant plus d'une heure, le canadien raconta à sa fille toutes les circonstances qui entouraient sa vie et qui les avaient conduits à la discussion de ce jour.

Apprendre qu'elle était de race indienne et née aux États-Unis ne la bouleversa pas car cela expliquait le sentiment de différence qu'elle ressentait. Cela la rassura même. Mais que sa mère n'était pas sa mère biologique provoqua chez-elle un trouble profond. Elle leva les yeux vers son père. Il était désemparé et on pouvait y apercevoir tout son désarroi.

— Vous ne devez pas vous inquiéter de la relation future entre ma mère et moi, elle ne s'effondra pas pour autant. Au contraire, toute ma vie, je lui témoignerai ma reconnaissance pour tous les bons soins qu'elle m'a apportés et pour l'amour qu'elle m'a témoigné.

Maintenant, nous devons prendre les dispositions pour que je puisse réaliser votre promesse. Sachez que je serai très heureuse de voir les membres de ma tribu et que je n'éprouve aucune honte pour le sang indien qui coule dans mes veines.

Quelques semaines plus tard, tout était prêt pour le premier voyage à l'étranger de la jeune indienne. Elle voyagerait seule. Telle avait été sa demande auprès de ses parents. Son père hésita quelque peu mais finit par accéder à sa requête.

— Mon garçon, je vais t'épargner les détails du voyage même si ta grand-mère me les a plusieurs fois relatés. Sauf pour te dire qu'elle s'est arrêtée chez les Filles de la Sagesse, qu'elle y a rencontré les religieuses qui lui ont apporté les soins qui lui ont permis de survivre à cette dangereuse maladie.

Après dix jours de voyage, elle arrivait enfin sur les terres de ses ancêtres. Le Grand Chef de l'époque n'était plus mais il avait informé celui qui devait le remplacer de toute l'histoire du canadien et de la promesse qu'il avait faite. Elle fut accueillie comme une des leurs et plusieurs qui l'avaient vu naître étaient encore présents. Les premiers jours furent consacrés à différentes activités pour permettre à la jeune canadienne de prendre contact avec son peuple d'origine, son histoire, ses légendes et son quotidien. Ainsi, il lui serait plus facile d'appréhender l'initiation à la spiritualité Cherokee, plus précisément à celle de la lignée Ywahoo qui a vu le jour il y a plus de 2 800 ans.

Pendant ce temps, la grande prêtresse s'affairait à préparer le matériel nécessaire à l'initiation et aux cérémonies spirituelles. Exceptionnellement, en raison de son grand âge, elle était aidée par quelques membres de la tribu. Tous connaissaient l'importance de l'événement et désiraient le préparer afin qu'il se déroule dans les meilleures conditions.

Voilà trois semaines que la jeune canadienne se familiarisait avec les coutumes de son peuple, elle était maintenant prête pour la suite.

La grande prêtresse et elle s'installèrent sous le tipi de cérémonie. La grande prêtresse débuta ainsi :

— Sache, petite, que nous sommes des Tsalagi de la Bande Etowah. Notre lignée a vu le jour grâce au «Gardien des Mystères», dit le Pâle, un grand maître dont le nom n'est prononcé qu'au cours des cérémonies. Les enseignements qu'il nous a transmis seront ceux que je te communiquerai. Sois consciente qu'ils sont de la plus haute importance et que mis en pratique, ils assurent une vie pleine et prospère.

Notre religion ne fait pas de prosélytisme et ne cherche pas à convertir. Ses enseignements disent, non pas de devenir Indien, mais d'atteindre le meilleur de soi-même, de manifester notre potentiel caché dans l'intérêt de tous les êtres. La religion autochtone est un mode de vie en soi, fondé sur le fait que tout est en relation. Ce qui est mauvais, c'est l'action irréfléchie, ce qui est mauvais, c'est ce qui fait du tort aux autres. Le mal commence au cœur de l'ignorance et du désir de domination. Tout est en relation de réciprocité.

La pratique de la relation sacrée est celle des relations justes avec tous les membres de la famille de la vie. Ainsi, le Pâle a donné sept aide-mémoire :

1. Ce qui marche, nage, vole ou rampe est en relation ; les montagnes, les ruisseaux et les vallées, tout est relié à votre pensée et à votre action.

2. Ce qui se produit autour de vous et en vous reflète votre propre esprit et vous montre le rêve que vous êtes en train de tisser.

3. Trois principes de l'esprit éveillé guident l'action éclairée : la volonté de voir le Mystère tel qu'il est ; l'intention de manifester son propre but dans l'intérêt de tous ; le courage de faire ce qui doit être fait.

4. La générosité de cœur et d'action apporte la paix et l'abondance à tous ceux qui font partie du cercle.

5. Le respect des ancêtres, du clan, du territoire et de la nation inspire des actes accomplis en harmonie avec la loi sacrée des soins appropriés aux cadeaux reçus.

6. L'action dans l'intérêt du territoire et des gens pour sept générations forme la conscience du Gardien Planétaire, qui rêve de ceux qui ne sont pas encore nés, et est perpétuellement attentif au déploiement de la vie.

7. Être en bonne relation, transformer les patterns de séparation, pacifier les émotions conflictuelles, c'est faire l'expérience de la sagesse intérieure, calme lac du Mystère[37].

— Sache petite que par la vigile sacrée, on cultive le feu de la sagesse, on implore une vision, on appelle le courage et la compassion pour parcourir le Sentier de Beauté dans l'intérêt de tous les êtres. Il est vrai que cela demande un effort important de tous les instants, voilà pourquoi le Pâle nous a donnés neuf préceptes de la Juste Relation :

1. Ne dis que la vérité.

2. Ne parle que des bonnes qualités des autres.

3. Sois un confident et ne répands aucune rumeur.

---

[37] Ywahoo, Dhyani, traduction de Michel St-Germain, *Sagesse Amérindienne*, Montréal, Le Jour éditeur, 1994. P. 35.

4. Écarte le voile de la colère pour libérer la beauté inhérente à chacun.

5. Ne gaspille pas ce qui t'est donné, et tu ne seras pas dans le besoin.

6. Honore la lumière en chacun. Ne fais pas de comparaisons ; considère chaque chose pour ce qu'elle est.

7. Respecte toute vie ; dégage ton cœur de l'ignorance.

8. Ne tue pas et ne nourris pas de pensées coléreuses, qui tuent la paix.

9. Agis maintenant ; si tu vois ce qu'il faut faire, fais-le.[38]

— Mets ces préceptes en pratique et tu constateras que ta relation avec tous les êtres sera pleine et entière. Ne te laisse pas décourager par l'ignorance des autres, elle est là pour te fortifier et te permettre une plus grande connaissance de la nature humaine et de toute sa souffrance. Sois confiante qu'un jour viendra où tous les êtres pratiqueront la Juste Relation.

Ici, nous avons la chance d'être tout un groupe à nous entraîner mutuellement mais toi lorsque tu seras de retour, tu risques d'être seule. Tu ne le seras pas longtemps, je vois un homme étranger qui arrive dans ton village et qui lui aussi a été instruit par quelques grands maîtres d'un pays lointain. Ces maîtres lui ont confié des enseignements semblables à ceux que tu viens de recevoir. Vous deviendrez mari et femme.

— Mais comment le reconnaître ?

— Ne sois pas inquiète. Il s'installera en bordure de la forêt et tu sauras par ses comportements et agissements qu'il est celui avec qui tu uniras ta destinée.

— Grande prêtresse, lorsque nous regardons autour de nous les événements dans le monde, nous voyons arriver plusieurs choses qui stimulent la peur, la pensée qui oppose «eux» et «nous». Pourquoi n'arrivons-nous pas à mettre en pratique les enseignements du Pâle ?

[38] Ibid., P. 35.

— La nature humaine a un long chemin à parcourir parsemé d'écueils avant de pouvoir réaliser sa raison d'être sur cette planète. Il est vrai que les enseignements du Pâle ont sombré dans l'oubli pendant un certain temps et c'est ce qui explique d'ailleurs que le Pâle est venu sur terre à quelques reprises pour rappeler ses enseignements. Il n'a pas été le seul à transmettre des préceptes. À différentes époques, plusieurs sont venus : Jésus-Christ, Bouddha, Mahomet et Babaji pour ne citer que ceux-là. Alors, sois confiante et comporte-toi comme si ce jour était là, maintenant.

— Pour le plaisir de l'entendre à nouveau de votre bouche, voulez-vous me répéter ce que la tradition orale raconte ?

— Bien sûr.

> *Elle raconte que le Peuple Principal, Ani Yun Wiwa, est né dans le système stellaire des Pléiades, où est apparue l'étincelle de l'esprit individuel. Du vide mystérieux naquit un son, et le son devint lumière, et la lumière devint volonté, intention d'être, née du vide : «Être Créateur», tonalité fondamentale du chant universel, sous-jacente à toute manifestation. La sagesse compatissante s'éleva alors que la volonté perçut le potentiel caché de l'esprit qui jaillissait à flots. La volonté et la compassion donnèrent naissance au feu de l'intelligence constructive. Se fondant en douze vortex d'activité, ou lignes élémentaires d'énergie ou de force, l'esprit prit forme, l'Un devint le multiple*[39].

— Cette histoire est magnifique grande prêtresse. Je vous remercie. Je la répéterai à mon petit-fils en temps voulu.

— Enfin, ma chère petite, n'oublie pas l'importance de la méditation régulière. Sa pratique te permettra l'introspection nécessaire pour intégrer harmonieusement les enseignements du Pâle.

Maintenant, tu peux t'en retourner dans ton pays adoptif et sois heureuse. Ton père a réalisé sa promesse, le Grand Chef également et moi aussi. Je peux prendre les dispositions pour rejoindre les ancêtres.

— Merci, Grande Prêtresse pour ta présence et ta patience.

---

[39] Ibid. P. 25.

— C'est ainsi que ta grand-mère s'en revint dans son village et raconta son histoire à son père qui l'écouta avec admiration. Il savait que sa fille aurait une vie heureuse et pleine.

Pendant les quelques années d'attente de l'étranger, elle se rendit régulièrement en bordure d'une forêt qui ressemblait à celle qu'elle avait observé dans le pays de sa tribu originale. Elle s'y sentait bien et appréciait toute la vie qui s'y trouvait.

Notre histoire se termine bientôt, mon garçon. Demain, je te ferai connaître la conclusion.

— Merci, grand-père et bonne nuit.

Chapitre Quatorze : L'enveloppe de l'étranger

Monsieur le curé demanda à l'étranger de le suivre jusqu'à son bureau dont il referma soigneusement la porte. Il ne voulait donner aucune chance à sa ménagère de s'immiscer dans la pièce. Il la savait capable de tout pour satisfaire sa légendaire curiosité. Fort heureusement qu'elle n'avait pas accès au confessionnal, se disait-il à l'occasion, elle aurait été capable de créer la plus grande zizanie que puisse connaître un village du Haut-Pays.

— Monsieur le curé, je dois vous avouer avoir fait un mensonge à mon arrivée !

— Sentez-vous bien à l'aise, vous pouvez le garder pour vous si vous le désirez. Ce n'est pas parce que je suis curé que je dois être au fait de tous les mensonges qui se promènent dans le village.

— J'en conviens monsieur le curé, mais j'ai fait ce mensonge sous votre toit. Je me sens dans l'obligation de vous le confesser.

— Alors, de quoi s'agit-il ?

— J'ai dit à votre ménagère que j'avais deux messages pour vous: un message verbal et un sous la forme d'un écrit bien à l'abri dans l'enveloppe que voilà. En vérité, je n'ai que le message écrit. J'avais perçu chez elle une grande curiosité et je voulais vous remettre cette enveloppe en main propre. Celle qui me l'a confiée m'en fit faire la promesse.

— Et qui est donc cette personne qui vous a ainsi engagé?

— Elle m'a dit de vous l'identifier en disant qu'il s'agissait de l'archéologue de Madras.

Notre monsieur le curé faillit tomber à la renverse. Voilà dix ans qu'il était de retour et depuis il n'avait reçu aucune nouvelle de l'archéologue. Il était convaincu qu'elle avait abandonné ses recherches du manuscrit de Saint-Thomas, ce qui expliquait son silence.

— Et pourquoi ne m'a-t-elle pas fait parvenir cette enveloppe par le courrier régulier ?

— L'archéologue et moi sommes de bons amis. Elle savait que je me rendais en votre pays parce que j'y avais de la parenté. Elle m'a donc demandé de lui rendre ce service. De plus, elle voulait être certaine que son contenu ne s'égare pas en route.

Le curé prit l'enveloppe et remercia chaleureusement celui qui la lui avait apportée. Le temps d'achever une tasse de thé et l'entretien se termina. Il faut savoir que notre curé était pressé de prendre connaissance de ce contenu mystérieux.

Il ouvrit l'enveloppe et qu'elle ne fut pas sa surprise de réaliser qu'elle en contenait deux autres. Sur la première, il put constater qu'elle lui était adressée alors que sur la deuxième était inscrit «pour le commandant».

Il ouvrit donc celle qui lui était destinée. Elle contenait plusieurs feuilles, une centaine peut être, écrites à la machine à écrire. La première feuille était une lettre de l'archéologue dont voici la teneur :

— Bonjour cher ami,

Pardonnez-moi tout ce temps sans nouvelles depuis votre départ de Madras. Mes recherches du fameux manuscrit sont demeurées infructueuses jusqu'à l'automne de l'année 1945. Vous vous souvenez certainement de mon intention de me rendre en Égypte pour poursuivre ces recherches. Un groupe d'amis et moi avons eu raison de persister puisque nous avons enfin trouvé. En effet, c'est à Nag Hammadi, en Haute Égypte que nous avons fait la découverte de treize volumes renfermant quelque cinquante-cinq traités coptes. Le deuxième des treize volumes renfermait le précieux Évangile selon Thomas que mon ami Jean Doresse a traduit et commenté. Vous trouverez ci-joint un exemplaire de cette traduction.

P.S. Je vous demanderais de bien vouloir prendre les dispositions nécessaires pour remettre la seconde enveloppe à notre ami le commandant.

Monsieur le curé demeura bien assis, sans bouger, pendant plusieurs minutes. On frappa à la porte, c'était madame curé qui venait s'enquérir de ses besoins. Elle entra sans attendre une autorisation quelconque et trouva le curé immobile. Elle s'en inquiéta et lui demanda s'il avait reçu des mauvaises nouvelles pour être dans un état semblable. Il lui fit signe que non et l'informa qu'il s'absentait pour une visite à un ami. Madame curé avait eu le temps de prendre la mesure des lieux et d'y apercevoir une enveloppe encore cachetée. Fort heureusement, elle ne pu lire l'inscription sur l'enveloppe. Si cela avait été le cas, elle aurait voulu connaître les raisons de cette visite à un ami alors qu'il était inscrit sur l'enveloppe «pour le commandant» et qu'elle ne connaissait personne qui portait ce nom.

Il signifia à sa ménagère qu'il n'avait besoin de rien et qu'elle pouvait se retirer. Il regardait toutes ces feuilles et ne se décidait pas à en lire le contenu. Son âme était maintenant tranquille, en paix. Il n'éprouvait plus ce besoin d'antan qui l'avait conduit en Inde bien qu'il lui était très reconnaissant de l'y avoir guidé. Il s'était écoulé plus d'une trentaine d'années entre le premier jour de son arrivée en Inde et celui d'aujourd'hui et voici la question qui lui venait maintenant à l'esprit : était-il vraisemblable de penser que les logia de Saint-Thomas puissent remettre en question sa sérénité ? Non, se disait-il. Alors c'est avec le commandant qu'il en prendrait connaissance.

Il se rendit donc sans tarder à la maison de son ami.

Grand-père, en disant cela, se leva en me demandant de patienter quelques instants. Il se rendit dans sa chambre et en ressortit tenant une enveloppe dans ses mains. Il me la tendit en me disant que c'était celle que le curé lui avait remise ce fameux jour de la visite d'un étranger au village.

— Je ne suis pas surpris, m'écriai-je. Depuis le début que je pressens que le commandant et vous, vous êtes la même personne. Je ne m'étais pas trompé.

Grand-père se mit à rire de son plus beau rire.

— N'est-ce pas là le rôle du conteur de maintenir son auditoire dans la plus grande expectative possible ?

Chapitre Quinze : deux font Un.

Ce fut avec beaucoup d'émotion que je pris l'enveloppe qu'on me tendait. Je la soupesai, la regardai avec attention et de toute évidence ce n'était pas là un emballage semblable à ceux que l'on retrouvait dans nos magasins.

À ma stupéfaction, je constatai que l'enveloppe n'avait pas été ouverte. Elle était demeurée intacte pendant toutes ces années. Je n'avais qu'une seule idée en tête : retrouver le logion incomplet si, bien sûr, il s'y trouvait. J'hésitai. Pourquoi était-elle demeurée fermée ? Est-ce que toute cette histoire de Saint-Thomas n'était que supercherie comme seuls les raconteurs d'histoires sont capables d'en inventer ? Non, cela n'était pas possible. Je connaissais bien le curé de notre village et jamais il n'aurait accepté de participer à une arnaque.

Je me décidai à ouvrir l'enveloppe et j'en sortis une centaine de feuilles jaunies par le temps mais tout à fait lisibles. La première feuille était une lettre. Je demandai la permission de la lire. Ne recevant pas de réponse audible, j'en conclus que je pouvais en prendre connaissance :

> Cher commandant,
>
> Ne soyez pas triste même si plus de mille neuf cent années ont été nécessaires pour retrouver les écrits de Saint-Thomas. Lecture faite, vous constaterez que les paroles de Jésus telles que rapportées par Didyme Judas Thomas sont très semblables aux enseignements de Sri Ramana et de Sri Aurobindo. Les trois traitent de la nature du Divin d'une seule et même manière.
>
> Au sortir de la Basilique San Thomé en 1925, il ne m'était plus personnellement nécessaire de tout mettre en œuvre afin de retrouver le manuscrit de Saint-Thomas mais j'ai voulu poursuivre pour toutes les personnes qui n'auraient pas la chance que j'ai eue de rencontrer les sages indiens. Et ainsi qu'ils puissent avoir accès à une connaissance que plusieurs s'acharnent à cacher ou à dénigrer lorsqu'elle se présente.
>
> Plusieurs grandes religions accordent une place importante à Jésus. Si ses paroles originales peuvent les récon-

cilier avec leur religion respective, j'estimerai avoir accompli mon devoir.

— Tout ce que vous m'avez raconté est donc vrai ! Ce n'est pas une histoire inventée de toutes pièces, c'est une histoire vraie…

Je me dépêchai de lire. Si je trouvais ce que je cherchais, ce serait la preuve définitive que mon grand-père et le commandant ne faisait qu'un seul personnage.

Jésus vit des petits qui tétaient,

Il dit à ses disciples.

Ces petits qui tètent sont comparables

à ceux qui vont dans le Royaume.

Ils lui dirent :

Alors, en étant petits,

irons-nous dans le Royaume ?

Jésus leur dit :

Quand vous ferez le deux Un,

et le dedans comme dehors,

et le dehors comme le dedans,

et le haut comme le bas,

afin de faire le mâle et la femelle

en un seul,

pour que le mâle ne se fasse pas mâle

et que la femelle ne se fasse pas femelle[40].

Et le commentaire explicatif suivant :

[40] Gillabert, Émile, Pierre Bourgeois et Yves Haas, *L'Évangile selon Thomas*, Paris, Éditions Dervy, 2009. Logion 22.

Comme le tout petit, nous ne nous percevons plus comme distincts. La dualité sujet-objet introduite par le mental est abolie. Nous ne nous affirmons plus comme différents. Nous nous reconnaissons comme harmonisés, unifiés. Et cette unité intérieure abolit les contraires, efface toute distinction, toute séparation.

L'unification du masculin et du féminin ne se fait pas seulement par la fusion des partenaires dans le couple ; elle s'établit à l'intérieur d'un même individu par l'harmonisation de ses composantes masculines et féminines[41].

Je déposai le document sur la table de la cuisine, satisfait. Je levai les yeux et dit :

— Merci grand-père pour cette belle histoire que vous m'avez racontée et pour toute la magie que vous y avez placée.

Fin

[41] Ibid., P. 224.

« La vérité est, tout simplement. Elle ne peut être amenée à l'existence. Elle doit être perçue par chaque individu dans le Soi permanent»[42].

Paramhansa Yogananda.

---

[42] Paramhansa Yogananda, *L'Essence de la Réalisation du Soi*, Paris, Éditions Adyar, 2000, P. 1.

Bibliographie

Aurobindo Ghose Sri, *La Vie Divine*, Pondichéry, Publié par l'Ashram de Sri Aurobindo, 2007.

Aurobindo Ghose Sri, textes groupés, traduits et préfacés par Jean Herbert, *Réponses*, Paris, Éditions Albin Michel, 1978.

Aurobindo Ghose Sri, traduction de Guy Lafond, *Savitri*, Montréal, Christian Feuillette éditeur, 2005.

Aurobindo Ghose Sri, traduction et commentaires La Mère, *Pensées et Aphorismes de Sri Aurobindo*, Pondichéry, Éditions Sri Aurobindo, 1994.

Aurobindo Ghose Sri, textes groupés, traduits et préfacés par Jean Herbert, *La pratique du Yoga intégral*, Paris, Éditions Albin Michel, 1987.

Gillabert, Émile, Pierre Bourgeois et Yves Haas, *L'Évangile selon Thomas*, Paris, Éditions Dervy, 2009.

Govindan, Marshall, *Babaji et la tradition du Kriya Yoga des 18 Siddhas*, Eastman, Les Éditions Kriya Yoga de Babaji, 1998.

Govindan, Marshall, *Les Sûtras du Kriya Yoga de Patanjali et des 18 Siddhas*, Eastman, Les Éditions Kriya Yoga de Babaji, 2002.

Grimberg, Carl, Svanström, Carl, Histoire universelle «De la belle époque à la Première Guerre mondiale», Verviers, Éditions Gérard et Cie, 1965.

Guide Voir, *Inde*, Outremont, Éditions Libre Expression, 2007.

Mukherjee Prithwindra, *Sri Aurobindo«Biographies»*, Paris, Éditions Desclée de Brouwer, 2000.

Ramana Maharshi, traduction et présentation de Eleonore Braitenberg, *L'enseignement de Ramana Maharshi*, Paris, Éditions Albin Michel, 2005.

Ramana Maharshi, commentaire et sélection par David Godman, *Sois ce que tu es*, Tiruvannamalai, V.S. Ramanan éditeur, 2007.

Satprem, *Sri Aurobindo ou l'Aventure de la Conscience*, Paris, Éditions Buchet/Chastel, 2003.

Souffir, Daniel, *ABC de la Kabbale*, Paris, Éditions Grancher, 2008.

Swami Chinmayananda, traduction de l'anglais par Christine Madeline, *La Bhagavad Gîtâ*, Guy Trédaniel Éditeur, 1998, 2008.

Yogananda, Paramhansa, traduction de Brigitte Taquin, *L'Essence de la Réalisation du soi*, Paris, Éditions Adyar, 2000.

Ywahoo, Dhyani, traduction de Michel St-Germain, *Sagesse Amérindienne*, Montréal, Le Jour éditeur, 1994.

Pour information sur le Kriya Yoga de Babaji, prière de contacter:

Le Kriya Yoga et les Éditions de Babaji, Inc.
196 rang de la Montagne · C.P. 90
Eastman, Québec · Canada J0E 1P0
Tel: +1(888) 252-9642 · +1(450) 297-0258 · Fax: +1(450) 297-3957
www.babajiskriyayoga.net · info@babajiskriyayoga.net

Le Kriya Hatha Yoga de Babaji

18 POSTURES DE DÉTENTE ET DE RAJEUNISSEMENT

de M. Govindan

Ces 18 postures furent choisies par Babaji parmi les milliers de postures qui existent afin de former un système efficace pour rajeunir le corps physique et le préparer aux phases plus subtiles de son Kriya Yoga. Le maître hymalayen immortel est la preuve vivante de leur efficacité. Chacune des postures comportent plusieurs étapes, ce qui les rend accessibles au débutant comme à l'étudiant expérimenté. Les postures sont également agencées par paires, ou contrepostures, pour favoriser l'étape de relaxation à la fin de chaque posture. Ce guide est conçu comme un manuel où chacune des étapes des postures est illustrée individuellement et expliquée avec des instructions faciles à suivre. Les bienfaits de chaque posture pour la prévention et la guérison de plusieurs troubles fontionnels sont également indiqués. Le chapitre d'introduction donne les principes à suivre pour la pratique.
ISBN 978-1-895383-05-8, 30 pages illustrées. Canada: 10,90$Cn, États-Unis: 10,90$US, Asie & Europe: 16,10$US ou 9 Euros.

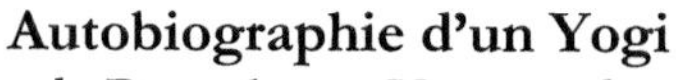

Autobiographie d'un Yogi

de Paramhansa Yogananda

Traduction de la première édition publiée en 1946 par la Librairie Philosophique

« L'Autobiographie d'un Yogi » est un trésor spirituel. A ce jour, des millions d'exemplaires ont été traduits et vendus en plus de 19 langues. Dans les éditions publiées après le décès de son auteur en 1952, beaucoup de choses ont été ajoutées ou enlevées à ce classique, incluant des sections complètes de texte. Jusqu'à maintenant, le public de langue française n'avait pas pu lire une traduction française de l'édition originale de 1946. Il est rare qu'un sage de la stature de Paramhansa Yogananda écrive de sa main un compte-rendu de ses expériences de vie. 516 pages avec 50 photos, ISBN 978-1-895383-10-2 Canada: 36,25$Cn, États-Unis: 38,75$US, Asie & Europe: 56,25$US ou 30 Euros.

La Sagesse de Jésus et des Yoga Siddhas

de M. Govindan

Ce livre s'adresse aux chrétiens intéressés à comparer les enseignements spirituels orientaux avec ceux du christianisme, aux étudiants de yoga spirituel autrement connu comme le yoga classique et le tantra et aux étudiants sincères de la bible, Il concerne également les étudiants et les praticiens de la méditation et de toute autre discipline spirituelle. La découverte de manuscrits anciens et leur analyse par des érudits indépendants grâce aux méthodes scientifiques modernes éclairent d'un jour nouveau les enseignements de Jésus.
200 pages. ISBN 978-1-895383-48-5. Canada: 21,33$Cn, États-Unis: 22,00$US, Asie & Europe: 33,50$ US ou 17,50 Euros.

La Grâce du Kriya Yoga de Babaji: Un cours par correspondance

Le kriya yoga de Babaji offre maintenant aux initiés comme aux non-initiés un cours de yoga par correspondance en français. Ce cours - mensuel - a été conçu pour nous aider à comprendre plus en profondeur les principes et les pratiques du yoga et la transformation qu'il opère. Le cours vise à nourrir l'être aux ni-veaux physique, mental, intellectuel et spirituel, et à mieux saisir le but de sa pratique dans notre vie. Au cours de la démarche, on comprendra mieux pourquoi l'on pratique le kriya yoga de Babaji non seulement pour son propre bien-être mais aussi celui de sa famille, de ses amis(es) et du monde entier. Les différentes pratiques (hatha yoga, pranayama, méditation, répétition de mantra) mènent à l'expérience du Soi. Une fois qu'on établit une relation intime avec le Soi, les tendances égoïstes sont remplacées par un sentiment d'être guidé par ce Soi supérieur, et alors on trouve sa mission, son dharma. À ce moment, le corps et l'esprit deviennent les instruments de cette voie. Le cours par correspondance offre un tel véhicule. Il est grand temps de commencer à partager la grâce et l'amour.

À chaque mois on apprendra à intégrer les différents enseignements et pratiques du kriya yoga de Babaji dans la vie quotidienne. Au fil de l'année, vous recevrez à chaque mois par la poste un cours de 15 à 20 pages sur un thème spécifique. Ces enseignements, tirés principalement des livres dictés par Babaji en 1952 et 1953, ont été réédités récemment sous le titre The Voice of Babaji : A Trilogy on Kriya Yoga. S'y ajouteront des ex-traits des travaux des Siddhas, de Sri Aurobindo, de La Mère, de Ramalinga Swamigal ainsi que de la philosophie védanta; le tout reflétant la tradition du kriya yoga de Babaji. Année 1 & 2 disponibles. 12 leçons par année d'abonnement.
Canada: 115,50$Cn, Québec: 125,32$Cn, États-Unis: 115,50$US, Asie & Europe: 143,50$ US ou 108 Euros.

Kriya Yoga: Réflexions sur le Chemin Spirituel

Par Marshall Govindan et Durga Ahlund

Plusieurs reconnaissent depuis longtemps le besoin d'un livre qui expliquerait aux personnes intéressées d'apprendre le Kriya Yoga ainsi qu'aux personnes déjà sur ce chemin, pourquoi on devrait le pratiquer, quelles sont les difficultés et comment les surmonter. Nous croyons que ce livre aidera tout le monde par les opportunités et les défis offerts par le Kriya Yoga. Tout le monde doit faire face à la résistance de sa nature humaine, l'ignorance de sa vraie identité, son karma, les conséquences des années de conditionnement par ses pensées, ses paroles et ses actions. En cultivant l'aspiration pour le Divin, le rejet de l'égoïsme et ses manifestations, l'abandon à notre vraie Soi supérieur et la Conscience pure du Témoin, nous pouvons surmonter cette résistance, notre karma et les nombreux obstacles sur notre chemin. Mais pour se faire, nous avons besoin de beaucoup de support et d'inspiration en cours de route. 168 pages. ISBN: 978-1-895383-73-7. Canada: 20,28$Cn, États-Unis: 20,25$US, Asie & Europe: 32,25$US ou 16,50 Euros.

Les Sûtras du Kriya Yoga de Patanjali et des Siddhas

de M. Govindan

"L'étude (svadhyaya) a toujours fait partie intégrante du Yoga. L'ouvrage de Govindan offre une excellente base pour cette étude. Dans ce livre, Govindan partage sa longue expérience du Kriya Yoga, ainsi que son amour et son respect profond pour l'héritage du Yoga. Cet ouvrage, les Sûtras du Kriya Yoga de Patanjali, de Marshall Govindan, est une contribution précieuse à l'étude du Yoga en général et aux Yoga-Sûtras en particulier. Je le recommande de tout cœur... particulièrement aux étudiants du Kriya Yoga, de plus en plus nombreux, qui trouveront ses conseils indispensables, mais les autres en bénéficieront également." Extrait de l'avant-propos de Georg Feuerstein, d. ph., auteur de "The Sutras of Patanjali" et de "Encyclopedia of Yoga". "Une contribution importante à la sadhana de tous les étudiants sérieux du Yoga" – Yoga Journal (Etats-Unis). "Un excellent commentaire, facile à lire" – David Frawley. 291 pages. ISBN 978-1-895383-13-3. Canada: 30,48$Can, États-Unis: 25,50$US, Asie & Europe: 51,00$ US ou 21 Euros.

La Voix de Babaji: UneTrilogie sur le Kriya Yoga

de Babaji Nagaraj,V.T. Neelakantanet S.A.A.Ramaiah

La Voix de Babaji et La Clé du Mysticisme », « L'Antidote de Babaji à Tous les Maux (Kriya) », et « La Mort de la Mort de Babaji (Kriya) », réédités ici, contiennent les profondes et importantes déclarations de l'un des plus grands maîtres spirituels vivants du monde. L'auteur, Satguru Kriya Babaji Nagaraj, a prédit que ce serait éventuellement une source de délices et d'inspiration, illuminant le chemin du Kriya Yoga vers la réalisation de Dieu, vers l'unité dans la diversité et l'amour universel. Elles révèlent aussi la personnalité magnétique de Babaji et la manière dont il nous assiste tous, avec beaucoup d'humour et de sagesse. Ces livres inspireront le lecteur à adopter une forme pratique des vérités éternelles, et à pratiquer le Kriya Yoga de Babaji, un art scientifique pour l'union parfaite avec Dieu ou avec la Vérité. 524 pages. ISBN 978-1-895383-74-4. Canada: 35.42$, États-Unis: 23.95$, Asie & Europe: 54.45$ ou 24 Euros.

Pour commander nos livres, CD et DVD:

Appelez sans frais: 1-888-252-9642 ou (450) 297-0258 - Fax: (450) 297-3957
Courriel: info@babajiskriyayoga.net

Nous acceptons VISA/MasterCard/Americain Express ou envoyez un chèque ou mandat poste à:
Les Éditions Kriya Yoga inc., C.P. 90, Eastman, Québec, Canada, J0E 1P0
Tous nos prix incluent les frais d'expédition et les taxes.
faites vos achats en ligne: www.babajiskriyayoga.net

Europe: Achetez directement de Cédric Mantegna 6 rue de la Maladière
21160 Marsannay La Côte, France, tél: 06.88.39.47.29 Courriel: cedric_m@live.fr